KB030713

교사 채움

우수보육시설을 위한 교사교육 시스템

교사 채움

우수보육시설을 위한 교사교육 시스템

초판인쇄 2023년 4월 24일
초판발행 2023년 4월 28일
지 은 이 강원화
펴 낸 이 문갑용
펴 낸 곳 도서출판 도토리날개
출판등록 제2020-000050호
주 소 경기도 고양시 강선로 169
이 메 일 hearis@naver.com

ISBN **979-11-958690-3-9**
값 23,000원

*이 책은 저작권법에 따라 보호받는 저작물입니다. 내용의 전부 또는 일부를 이용할 때는 반드시 저자와 출판사의 서면동의가 필요합니다.
*잘못된 책은 교환해 드립니다.

- 보육의 기본
- 학부모 상담
- 교사채움

강원화 지음

모든 보육교사를 위해

들어가는 말

보육교사 자격증을 취득한 사람이 매년 늘고 있다. 최근에는 코로나와 함께 짧은 비대면 학습만으로 자격증을 취득한 사람도 많이 늘었다. 충분한 준비없이 보육교사 자격을 취득한다는 데 따른 우려도 있다.

어린이들을 돌보는 데 가장 중요한 역할을 하는 사람은 교사다.
어린이집의 수준을 평가하는 데도 교사가 기준이 된다.
때문에 원장의 역할 중에서 매우 중요한 것 중 하나가 바로 교사 채용과 교육이다.

통계적으로 보육교사 자격 신청자의 96%가 보육교사 자격증을 획득하며, 이런 시스템은 보육교사의 자질 부족과 보육 서비스의 질적 하락뿐만 아니라 어린이집의 열악한 환경과 직결된다. 교사의 퇴직과 이직도 매년 증가하고 있다. 저자의 어린이집만 해도 지난 2021~2022년 동안 이직률이 40%에 달한다. 학부모들의 가장 큰 불만 사항 중 하나가 교사 이직이기도 했다.

1994년 1월부터 영유아보육법에 의해 보육시설이 개선되기 시작했다. 2019년 6월 평가인증 제도의 시행으로 보육시설은 또 다른 전환기를 맞이했다. 이러한 변화에 따라 저자도 국공립시설의 평가인증을 네 번이나 경험했다.
평가인증 시행 처음 경험을 돌이켜 본다. 교사들은 어린이집에서 한두 달간 숙식하다시피 하며 힘들게 준비했다. 평가인증을 받던 날은 전 교사가 야근을 하다 아침을 맞이하며 쓰러질 듯 힘든 모습으로 서로 위로하며 격려했던 힘든 기억이 선명하다.

그 시절은 시간외 근무 수당 같은 건 없었다. 원장이 퇴근하지 않으면 감히 아무도 퇴근하지 못했다. 차마 먼저 간다는 말을 못하고 원장의 퇴근만을 기다렸다. 지금 생각하면 터무니없는 열악한 환경을 견디며, 화장실에서 울었던 기억이 있다. 희생과 지나친 사랑만을 강요하던 시절이었다.
요즈음은 노동에 대한 사회적 인식과 함께 보육이나 보육교사의 역할도 많이 달라졌다. 교사들은 시대 변화에 발맞춰 시간외 근무를 철저히 따지고 휴게시간도 잘 챙긴다. 당연한 권리다. 하지만 어느 분야나 그렇듯 모든 변화가 항상 바람직한 방향으로만 가는 것만은 아니다. 어떤 부분은 기대에 못 미치기도 하고, 과거에 가졌던 태도나 제도가 아쉽기도 하다.

이 글은 새로 시작하는 보육시설이나 보육교사 등 새내기 분들에게 알려드리는 내 경험 같은 것이라고 볼 수 있다. 나는 수십 년간 보육기관에서 어린이들과 함께 했다.

구체적으로 말하면 어린이, 교사 그리고 학부모와 함께 했다. 보육기관은 어린이를 케어하기 위해서 교사와 원장이 학부모와 소통과 협력을 이루며 일하는 곳이다. 이곳에서 어린이들을 돌보는 데 가장 중요한 역할을 하는 사람은 교사다. 어린이집의 수준을 평가하는 데도 교사가 기준이 된다. 때문에 원장의 역할 중에서 매우 중요한 것 중 하나가 바로 교사 채용과 교육이다.

교사 교육에 큰 관심을 두고 스타일과 매뉴얼을 만든 것도 그런 이유다. 그러다 보니 나만의 노하우를 갖게 되었다. 처음 보육기관에서 일하는 모든 분들과 이를 공유하고 더 나은 방향을 찾아보기 위해 이를 정리했다. 많은 분들께 도움이 되기를 기대한다.

강원화

보육의 기본

part 1

영유아보육법과 아동권리협약 속의 교사

교사의 기본

CONTENTS

학부모 교육과 상담

part 2

1단계 - 상담 전 자료 수집하기

2단계 - 상담 준비하기

3단계 - 상담의 실전

4단계 - 관찰 예시

교사채움

part 3

교사교육과 힐링

CONTENTS

part 1.
보육의 기본

사회적으로 출산률은 지속적으로 줄어 영유아의 수는 꾸준히 감소하는 중이다. 어린이집의 수도 줄어드는 추세다. 반대로 어린이들의 지적 수준은 점점 높아지고 보육에 대한 학부모의 기대감도 높아지고 있다.
이에 따라 보육에 대한 국가정책도 많이 변했다. 학부모와 사회가 보육시설이나 교사를 보는 관점도 달라졌다. 아이들의 수가 줄어들고, 맞벌이 부부가 대부분인 사회가 되면서 일어난 변화들이다. 어린이집은 단순히 아이들을 맡기는 곳에서 전문적으로 아이를 교육하고 돌보는 기관으로 변화하고, 지역사회의 주요시설로 자리매김하고 있다.
교사에 대한 인식도 많이 변화했다. 어린이들이 보육시설에 오는 시기는 지적 정서적 발달이나 사회성이 형성되는 중요한 시기다. 요즘 학부모들은 이 사실을 잘 알고 있다. 이러한 중요한 발달 시기에 자녀의 성격 형성을 돕는 중요한 사람이 바로 교사란 사실도 잘 안다. 학부모들이 교사의 질로서 보육시설의 수준을 평가하는 이유가 여기 있다. 학부모들은 자녀를 담당하는 교사에 대해서도 관심이 크고, 자녀 교육이나 보육과 관련해 교사와 충분한 의사소통을 하고 싶어한다.

어린이집 교사는 대학에서 유아교육이나 영유아보육과 관련해 공부한 전공자이다. 보육교사교육원 등의 기관에서 배출된 경우도 많다. 이들은 교사가 되기 위해 어린이의 심리 정서적인 성장과정, 유아를 위한 미술, 음악, 언어 등 다양한 부분에 걸쳐 공부한다.
이런 과정을 통해 어린이를 사랑하고, 교육적인 전문 지식과 기술을 가진 전문가가 된다. 하지만 보육현장은 학교와 양성기관에서 배운 것과는 다른 점도 많다. 현장은 늘 이론과 다르고, 시대와 지역에 따라 현장 상황도 변화한다.
보육시설과 학부모가 동반자적 관계로서 성공적인 보육을 하는 것이 우리의 목표다. 교사가 어린이집을 상징하는 시대에 교사에게 필요한 것은 무엇일까. 교사와 어린이집 역시 동반자가 되어 한 가지 목표를 향해 갈 수 있는 방법은 무엇일까?
보육의 기본, 학부모 교육, 교사교육이란 세 가지 측면에서, 더 나은 보육교사 그리고 더 높은 보육의 질을 생각해 보았다.

영유아보육법과 아동권리협약 속의 교사

1. 아동권리로 찾아본 교사의 기본

(1)아동인권

배가 고프면 밥을 먹고, 목이 마르면 물을 마시고, 가고 싶은 곳이 있으면 갈 수 있는 자유가 있어야 한다. 자신의 행복을 위해 누려야하는 모든 활동과 환경을 '인권'이라고 한다. 그리고 18세가 되지 않은 아동이 가지는 권리를 '아동권리'라고 하여 1989년에 '유엔(UN) 아동권리협약'이라는 국제 협약으로 만들어졌다.

아래는 'UN 아동권리협약'의 내용이다.
전 세계 어른들이 모여 '유엔아동권리협약'이란 것을 만들고, 우리들의 권리를 지키겠다고 약속했어요.

생명존중의 권리	보호의 권리	참여의 권리	발달의 권리
▶영양가 있는 음식을 먹고,몸이 아프면 치료받고, 안전하게 지낼 수 있는 곳이 필요해요.	▶나와 내 친구는 생김새도, 좋아하는 것도, 생각도 다 달라요. ▶차별과 폭력으로부터 보호받을 권리가 있어요.	▶자유롭게 생각하고 우리의 생각을 이야기할 권리가 있어요.	▶친구들과 신나게 놀면서 배우고, 충분히 쉬고, 학교에 다니게 되는 것도 우리의 권리예요.

<출처-보건복지부 '아동인권'>

보육교사에게 아이들이란? 사랑, 사명, 가르침, 인내, 보육, 교육... 등의 다양한 생각이 떠오르기 마련이다. 그러기 이전 우리는 분명이 알고 시작해야 하는 부분이 있다. 교사다움도 좋고 교사의 가치도 좋으며 교사의 인격도 당연히 중요하다. 그러나 어린이집에서 우선은 아동이다.
아동은 가치있는 존재이며 존중 받아야 할 당연한 권리를 가지고 있다. 보육교사가 바라봐야 할 아동 권리와 '보육교직원의 영유아 권리선서'를 소개한다.

첫째, 아동의 권리는 인간이 누려야 하는 당연한 권리이다.

둘째, 신체적, 정신적 요구, 아동의 전인적 성장을 목적으로 한다.

셋째, 아동이 성장하는 데는 어떠한 차별도 없어야 한다.

- 우리 어린이집에서는 '보육교직원의 영유아 권리선서'를 이용해 학부모 오리엔테이션 때 모든 교직원이 앞에 나와 선서로 아동 권리를 다짐한다.

보육교직원 영유아권리선서

우리는 보육전문가로서의 자세를 유지하고
영유아의 권리보호, 존중, 충족을 위해 책임을 다할 것을 선서합니다.

하나, 우리는 영유아가 차별 없이 평등하고 행복하게 자라도록 돕는다.

하나, 우리는 영유아에게 안전하고 편안한 보육환경을 제공하기 위해 노력한다.

하나, 우리는 영유아에게 충분한 영양과 위생적인 급식을 제공하여 영유아가 건강하게 성장하도록 돕는다.

하나, 우리는 영유아가 자신의 욕구와 의사를 자유롭게 표현할 수 있도록 격려한다.

하나, 우리는 영유아의 발달과 개별적 특성에 적합한 보육을 위해 노력한다.

하나, 우리는 영유아 존중을 바탕으로 일체의 체벌을 포함한 신체학대, 성학대, 정서학대, 방임을 하지 않는다.

하나, 우리는 아동학대 예방을 위해 노력하며 아동학대를 발견한 경우 신고 의무자로서의 책임을 다한다.

하나, 우리는 보육활동에 부모참여를 확대하고, 지역사회와 전문가 연계를 통해 아동이 바르게 성장할 수 있도록 기반을 조성한다.

어린이집 보육교직원은 위의 '보육인 영유아권리 선서'를 준수함을 서약합니다.

20 년 월 일

어린이집 보육교직원 일동

(2)아동학대

'아동권리'가 바로 선다면 아동학대라는 단어가 존재할 수 있을까?
어찌보면 '아동학대'의 반대말이 '아동권리'일지도 모르겠다. 아동의 권리가 사라지는 순간 아동학대가 싹튼다는 말이 된다. 아동권리가 바로 서지 않은 아동학대에 대해 알아보자.

아동학대의 개념

유엔아동권리협약 제19조 제1호
아동이 부모나 법정후견인, 다른 보호자로부터 양육되는동안 모든 형태의 신체적·정신적 폭력, 상해나 학대, 유기, 부당한 대우, 성적인 학대를 비롯한 착취로부터 보호되어야 함.

아동복지법 제3조 제7항
아동학대란, 보호자를 포함한 성인이 아동의 건강 또는 복지를 해치거나 정서적 발달을 저해할 수 있는 신체·정신 폭력이나 가혹행위를 하는 것과 아동을 유기하거나 방임하는 것을 말함.

아동학대범죄의 처벌 등에 관한 특례법 제2조 제7호
보호자에 의한 아동학대로 다음 각호에 해당하는 죄 형법상 범죄(상해, 폭행, 유기, 학대, 체포, 강간, 강요, 재물손괴 아동복지법상(신체적, 정서적, 성적 학대 및 방임 행위) 다른 법률에 의해 가중 처벌되는 죄 아동학대범죄의 처벌 등에 관한 특례법에 규정된 범죄 (아동학대치사, 아동학대중상해, 상습범)

2. 아동학대의 유형 및 처벌

(1)신체학대

아동의 신체에 손상을 주거나 신체의 건강 및 발달을 해치는 신체적 학대행위

구체적 예시 및 처벌 : 5년 이하의 징역 또는 5천만 원 이하의 벌금

- 직접 신체에 가해지는 행위
- 도구를 사용하여 신체를 가해하는 행위
- 완력을 사용하여 신체를 위협하는 행위
- 유해한 물질로 신체에 가해지는 행위

실제 발생 사례 및 판례(중앙아동보호전문기관 제공) / **판결**-징역 1년

아동들에게 간식을 억지로 먹임.
또한 양손으로 아동의 양쪽 볼을 잡고 흔들었고 주먹으로 머리를 두 대 가격하였으며, 손바닥을 펴 아동의 엉덩이를 때린 후 검지와 중지를 굽혀 코를 잡고 두 번 흔듦.

(2)정서학대

아동의 정신건강 및 발달에 해를 끼치는 정서적 학대행위

구체적 예시 및 처벌 : 5년 이하의 징역 또는 5천만 원 이하의 벌금

- 원망적·거부적·적대적 또는 경멸적인 언어폭력 등
- 잠을 재우지 않는 것
- 벌거벗겨 내쫓는 행위
- 형제나 친구 등과 비교, 차별, 편애하는 행위, 가족 내에서 왕따 시키는 행위
- 아동이 가정폭력을 목격하도록 하는 행위
- 아동을 시설 등에 버리겠다고 위협하거나 짐을 싸서 쫓아내는 행위

실제 발생 사례 및 판례(중앙아동보호전문기관 제공) / **판결**-수강명령 40시간

- 아동에게 '새끼야'와 같은 욕설을 사용함
- 아동이 울며 아프다고 이야기를 할 때 "아픈데 어쩌라고", "아이 잘한다. 울어라. 울어라"라고 말하며 언어적으로 위협함

(3)성학대

아동에게 음란한 행위를 시키거나 이를 매개하는 행위 또는 아동에게 성적 수치심을 주는 성희롱 등의 성학대 행위

구체적 예시 및 **처벌** : 5년 이하의 징역 또는 5천만 원 이하의 벌금

• 자신의 성적 만족을 위해 아동을 관찰하거나 아동에게 성적인 노출을 하는 행위
• 아동을 성적으로 추행하는 행위
- 아동에게 유사 성행위를 하는 행위
- 성교를 하는 행위, 성매매를 시키거나 성매매를 매개하는 행위

처벌 : 5년 이하의 징역 또는 5천만 원 이하의 벌금
아동에게 성적 수치심을 주는 성희롱 성폭행 등의 학대 범위
아동을 타인에게 매매

(4)방임

자신의 보호·감독을 받는 아동을 유기하거나 의식주를 포함한 기본적 보호·양육·치료 및 교육을 소홀히 하는 방임행위
구체적 예시 및 처벌 : 5년 이하의 징역 또는 5천만 원 이하의 벌금

• 물리적 방임
- 기본적인 의식주를 제공하지 않는 행위
- 불결한 환경이나 위험한 상태에 아동을

실제 발생 사례 및 판례(중앙아동보호전문기관 제공) / **판결**-벌금 300만원

• 아동이 말을 잘 듣지 않는다는 이유로 식사와 간식을 지속적으로 제공하지 않음
• 아동을 발로 밀치거나 머리를 치는 신체학대와 아동을 교실 밖으로 내쫓고 문을 잠그는 정서학대도 함

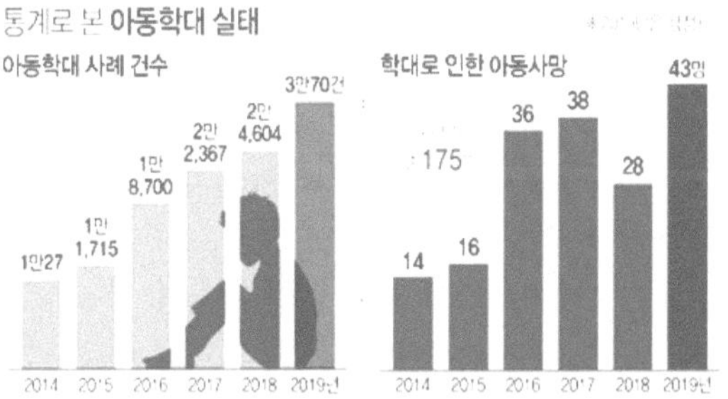

<연합뉴스 2019년 아동학대 통계자료>

3. 보육교사 행동 요령

보육교사의 지도와 영유아의 개별적 요구가 다를 때 보육교사는 지도의 어려움을 겪게 된다. 이때 보육교사는 '경청하고 공감하기'와 '대안 및 한계 제시하기' 행동 요령을 실행한다.

가 알아차리기

1) 보육교사는 영유아의 표정과 행위의 특성을 관찰하여 알아차린다.
   (영유아의 눈물, 찡그리거나 화난 표정, 다른 영유아를 깨물고 때리는 행위 등)
2) 보육교사는 자신이 관찰한 표정과 행위를 영유아의 감정과 연결하여 표현해 준다.
3) 보육교사는 영유아가 자신이 느끼는 감정과 행위에 대해 표현할 수 있도록 한다.
   "○○ 이가 마음대로 장난감을 가져갔어요.", "화가 나서 때렸어요."
4) 보육교사는 영유아가 표현한 감정과 행위를 설명해 주어 다시 한번 영유아의 마음을 경청하고 공감한다.
   "친구가 너한테 허락을 받지 않고 장난감을 가져가서 너무 화가 났구나. 그래서 친구를 때린 거구나."

나 대안 및 한계 제시하기

보육교사는 영유아가 스스로 대안을 생각하게 하거나 영유아에게 한계를 제시하여 놀이하도록 한다.

① 보육교사는 영유아에게 스스로 대안을 생각하도록 하거나, 2~3개 활동이나 놀이 또는 다른 문제해결 방안을 제시하여 선택하게 한다.
"○○아, 너는 어떻게 했으면 좋겠니?", "○○ 야, ○○ 해 볼래? ○○○ 해 볼래?"

② 보육교사는 영유아의 선택을 격려한다.
"그래, 네가 원하는 대로 해 보자.", "네가 선택한 ○○ 이도 재미있는 거였구나!"

③ 보육교사는 영유아에게 한계(공간, 시간, 놀잇감 유형 및 개수, 규칙 등)를 제시하여 활동이나 놀이의 허용 범위를 정한다.

*유의점 : 경청하고 공감하기에서는 영유아의 감정이나 행위를 옳고 그름으로 판단하여 지도하지 않도록 유의한다.

"오늘은 네가 원하는 대로 ○○까지만 더 놀이할까 ?"
"우리가 ○○ 이를 즐겁게 하기 위해 어떤 규칙이 필요할까?"

다 지나친 수준에서의 보육교사 행동 요령

지나친 수준이란 보육교사는 지도를 지속적으로 강요하고, 영유아는 울음, 고집, 떼쓰기 등으로 지도를 거부하는 경우이다. 이때 보육 교사는 '멈추기' 행동 요령을 실행한다.
멈추기는 보육교사가 숨을 고르고, 진행하던 지도(경청, 공감, 대안 및 한계 제시 등)를 멈추며, 영유아의 곁에 머물며 스스로 진정할 수 있도록 기다리는 것이다. 이때 보육교사는 영유아의 요구를 그대로 수용한다.

4. 어린이집 행동 요령

보육교사 행동 요령의 실행 상황이 지나친 수준일 때, 어린이집 행동 요령을 적용한다. 어린이집 행동 요령은 '원장과 부모 및 양육자에게 알리기', '보육교직원과 협의하기', '부모 및 양육자와 소통하기'로 구성된다.

1) 원장과 부모 및 양육자에게 알리기

보육교사는 '멈추기'를 실행하였을 경우, 부모 및 양육자에게 이를 설명하고, 원장에게 보고한다.

2) 보육교직원과 협의하기

보육교사는 원장 및 보육교직원과 행동 요령 실행 과정의 경험을 나눈다.

- '멈추기' 행동 요령 실행 과정에서의 어려움을 나눈다.
- 동료 보육교직원과 비슷한 경험을 나눈다.
- 원장은 보육교사 행동의 잘잘못을 따지지 않고, 수용하고 격려한다.

3) 부모 및 양육자와 소통하기

해당 보육교사가 '부모 및 양육자에게 알리기'를 실행했음에도 소통이 되지 않을 때, 원장은 해당 부모 및 양육자의 입장을 경청하고 공감해 주고, 개별 상담을 한다.

원장은 부모 및 양육자에게 '보육교사 행동 요령'과 '어린이집 행동 요령'을 교육한다.

〈보건복지부어린이집 아동학대 예방을 위한 '아동학대 빈번 발생 상황에서의 행동요령' 설명서〉

영유아 권리 존중을 위한 자가 체크리스트

교사 : (인)

연번	내 용	확인
1	교육기관 일과에서 영유아의 권리 존중을 실천하고 있습니까?	
1-1	낮잠 및 휴식에 대한 영유아의 개별적 욕구를 반영할 수 있는 적절한 환경(시간, 공간)을 조성해 주고 있다.	
1-2	대·소집단활동에 참여하지 않거나 계속 놀이하려는 영유아의 욕구를 존중하고 있다.	
1-3	급·간식에 대한 영유아의 기호, 먹는 속도의 양을 존중해 주고 있다.	
1-4	배변, 배뇨 등 영유아의 기본적인 생리적 욕구를 존중해 주고 있다.	
1-5	교직원은 일관성 있는 태도로 영유아의 욕구를 존중해 주고 있다.	
2	영유아가 교육과정의 계획과 운영에 참여할 수 있는 구조가 있습니까?	
2-1	영유아가 만든 결과(작품 사진, 노래, 블록, 구조물 등)를 존중하며 적절히 게시한다.	
2-2	영유아의 의견이 잘 표현될 수 있는 분위기를 조성하며 영유아의 의견을 반영한 보육과정을 운영한다.	

3-2	영유아의 흥미, 관심, 기분 및 건강상태를 전반적인 맥락으로 파악하고 있다.	
3-3	영유아 간의 관계를 살피며 상호 역동성을 파악하여 상호작용한다.	
4	영유아의 권리 실천을 위해 교육기관을 다양한 방법으로 개방하고 있습니까?	
4-1	학부모 운영위원회를 운영하고 있다.	
4-2	열린 교육기관 운영 등의 다양한 방식으로 양육자의 참여가 이루어지고 있다.	
4-3	양육자의 교실 참관(절차 및 방법, 안내)이 이루어지고 있다.	
5	교직원은 영유아 권리 존중을 위해 양육자와 소통하고 있습니까?	
5-1	교직원은 양육자와의 소통을 통해 영유아의 전반적인 상태(기분, 건강, 배변 등)와 가정 내 주요한 정보를 파악하고 있다.	
5-2	양육자에게 규칙적인 등·하원 시간 등 안정된 생활습관의 중요성을 전달하고 있다.	
5-3	교직원은 영유아에 대해 양육자와 협의하고 책임을 공유하는 적극적 노력을 하고 있다.	
6	영유아 권리 존중의 이해와 실천을 위한 교직원 교육이 이루어지고 있습니까?	
6-1	영유아 권리 존중을 위해 교직원 교육이 실행되고 있다.	
6-2	아동학대 신고의무자에 대한 교육, 양성평등교육 등을 이수하였다.	
6-3	영유아 권리의 기초가 되는 'UN 아동권리협약'의 내용을 이해하고 있다.	
7	영유아 권리 보호를 위해 교직원의 적절한 근무환경이 이루어져 있습니까?	
7-1	교직원의 적절한 근무환경에 대한 노력이 이루어지고 있다.	
7-2	교직원의 업무 스트레스 해소를 위한 구체적인 노력이 이루어지고 있다.	
8	영유아 권리 존중을 위해 보육 교직원 간 협의·지원이 이루어지고 있습니까?	
8-1	교육기관 운영(보육과정, 특별활동, 견학, 행사 등)의 계획과 평가에 교직원 의견이 수렴되고 있다.	
8-2	반 운영의 어려움이 있을 때 자체회의를 통해 협력 및 해결하는 구조가 있다.	

<우리 어린이집 아동학대 월별 체크리스트>

구분	점 검 사 항	점검결과		
		예	아니오	비고
원장 직원 면담 점검	1. 보육교직원(교직원) 및 원장이 본인이 아동학대 신고의무자인지 알고 있는지 여부			
	2. 아동학대 의심 사례를 목격하면 어디에 신고해야 하는지 알고 있는가 ※ 112 등 경찰청 신고번호, 경찰서, 지구대, 파출소 또는 지역아동보호전문기관에 신고해야 함 ※ 수사기관이나 아동보호전문기관에 신고한 것만 신고 간주됨			
	3. 보육교직원(교직원) 및 원장이 아동학대 의심사례를 목격하고도 수사기관이나 아동보호전문기관에 신고하지 않을 경우 과태료 처분을 받는다는 점을 알고 있는지 여부			

서류 점검	4. 보육교직원(교직원) 근로계약서 상 아동 체벌 금지 서약이 있는지 여부			
	5. 근무 중인 모든 보육교직원(교직원) 및 원장이 아동학대예방교육을 이수 여부 ※ 교육은 시군구청, 교육지원청, 협회, 학회 주도의 집합교육도 가능하며 중앙아동보호전문기관이 제작한 표준교육자료(PPT, 동영상)를 활용 자체 교육도 가능함 ※ 교육결과보고서, 이수증, 자체 교육한 장면 사진 등 증빙자료를 확인			
	6. 아동들을 대상으로 아동학대 예방 교육을 실시 여부 ※어린이집 및 유치원 원장은 아동들에게 6개월에 1회 이상, 연간 8시간 이상 아동학대예방 교육을 실시하여야 함			
CCTV 점검	7. 손, 발 등 신체를 사용하여 아동의 신체를 때리는 행위로 의심되는 장면이 있다.			
	8. 장난감, 사무용품 등의 도구를 사용하여 아동의 신체를 때리는 행위로 의심되는 장면이 있다.			
	9. 장난감, 사무용품 등 도구를 사용하여 아동을 위협하는 것으로 의심되는 장면이 있다.			
	10. 아동을 던지거나 흔들거나 매달거나 꼬집거나 목을 조르는 등 완력을 사용하는 행위로 의심되는 장면이 있다.			
	11. 손, 발 또는 도구를 사용하여 아동의 머리나 엉덩이를 치며 행동을 제지하는 것으로 의심되는 장면이 있다.			
	12. 아동의 입을 벌려 억지로 음식을 먹게 하는 것으로 의심되는 장면이 있다.			
	13. 아동이 흘린 음식을 다시 먹게 하는 것으로 의심되는 장면이 있다.			
	14. 매운 음식을 먹을 때 물을 마시지 못하게 하는 것으로 의심되는 장면이 있다.			
	15. 식사 때 특정 아동만 식사를 하지 못하도록 제지하는 것으로 의심되는 장면이 있다.			
	16. 과도하게 신체접촉을 하거나 기저귀갈이 할 때 다른 사람 앞에서 생식기를 고의로 노출시키거나 만지거나 사람들 앞에서 속옷을 갈아입히거나 용변을 보도록 하는 등 아동의 신체를 노출시키는 것으로 의심되는 장면이 있다.			
	17. 보육교직원(교직원) 간 싸움 장면을 아동에게 노출한 것으로 의심되는 장면이 있다.			
	18. 바깥놀이를 하면서 특정 아동만 바깥놀이에 참여하지 못하게 하는 것으로 의심되는 장면이 있다.			
	19. 보육(교육)환경이 비위생적이거나 위험하다고 의심되는 장면이 있다.			
	20. 낮잠시간이나 놀이시간 등에 아동을 혼자 있게 하거나 아동 간 다툼을 방치하는 것으로 의심되는 장면이 있다.			
	21. 아동이 위험한 물건(칼, 압정, 핀 등)을 가지고 놀아도 내버려두는 것으로 의심되는 장면이 있다.			
	22. 화장실, 창고 등 아무도 없는 빈 장소에 아동을 가둔 것으로 의심되는 장면이 있다.			

현장 점검	23. 교사가 영·유아만 남기고 교실을 5분 이상 벗어나는 행위			
	24. 교사가 핸드폰 보기 등 다른 일을 5분 이상 지속하고 있는 행위			
	25. 교사가 아동비율을 지키지 않고 보육하는 행위			
	26. 비판·비난·조소·모욕·우롱 등 언어학대가 이루어지는 행위			

◉ 아동학대에 대처하는 바람직한 교사의 역할

① 아동학대 신고 직전 여러 가지 전조 징후가 있다.
교사는 이를 빨리 파악하여 원장에게 알린다.

- 알림장의 댓글을 잘 달아 주시던 학부모가 댓글을 쓰지 않을 때.
- 교사의 눈을 맞추지 않고 이야기 하거나 아이만 떠밀고 갈 때.
- 갑자기 차가운 말투와 신경질적인 모습으로 교사 앞에서 아이를 대할 때.
- 자주 결석 할 때.

② 교사가 아동 학대라고 느껴지는 순간, 원장에게 경위를 보고하고 CCTV 열람을 요청한다.

③ 부모를 협력자로 만들기

- 다소 딱딱한 지도 방법이나 조금 강도 높은 훈육 방법을 사전에 이야기 하고 부모의 동의 받기

ex 팔과 다리를 잡고 유아를 진정시킨다고 다 아동학대는 아니다. 아이가 교사의 권한을 침범하는 행동을 했을 때 학부모님과 이야기를 나눠 지도 방식을 계획하고 학부모의 동의를 받아야 한다. 일주일이건 이주일이건 아이의 지도 방법에 대한 동의와 훈육강도를 조절하는 과정을 알려드리고 학부모가 문제행동에 대한 공감이 있으면 된다.

◉ 아동학대 중요 tip

어느날 선생님이 '아동학대'가 의심되어 신고를 당했습니다. 그 과정을 다음과 같이 정리하였습니다.
"저의 아이가 학대를 당하는 것이 의심됩니다."

<아동학대 신고접수 후 수사과정>

① **경찰** | 사건 경위 조사 작성으로 인한 경찰서 방문
② **아동보호기관 면담** | 사굿네이버스(아동보호전문기관)에서 해당 반 아이들, 교사 개별 면담 실시
③ **국립과학수사연구원(NFS)** | 사수사 진행 사항에 따라 거짓말 탐지기 검사

두 달가량 조사한 결과, 교사는 무혐의로 밝혀졌습니다. 마음 졸였던 교사는 그 엄마를 '무고죄'로 신고할 수 있을까요? 억울하지만 정답은 '할 수 없다'입니다.
원의 피해가 갈까 봐? 사고처리나 변호사 선임이 어려워서?
아닙니다 '신고 내용' 때문입니다.

<신고내용>

- 교사가 우리 애를 학대했어요!! - 교사가 엄마를 무고죄로 고소 가능
- 교사가 우리 애를 학대한 게 의심돼요!! - 교사는 엄마를 무고죄로 고소 불가능

아동학대를 직접 보지 못했다면 대부분 '의심'이라는 명목으로 신고를 합니다.
때문에 무고죄가 성립되지 않습니다.

5. 영유아보육법에서 찾아본 보육의 기본

우리나라는 법으로 유아교육과 보육에 대해 규정하고 있다. 유아교육 관련 학제는 유아교육법, 보육시설과 관련해서는 영유아보육법이다. 영유아보육법에는 이 법의 목적과 정의를 다음과 같이 규정하고 있다.

<영유아 보호법>

제1장 - 총칙 <개정 2007. 10. 17.>

제1조 (목적)
이 법은 영유아의 심신을 보호하고 건전하게 교육하여 건강한 사회 구성원으로 육성함과 아울러 보호자의 경제적 · 사회적 활동이 원활하게 이루어지도록 함으로써 영유아 및 가정의 복지 증진에 이바지함을 목적으로 한다.

<개정 2011. 8. 4.>

제2조 (정의) 이 법에서 사용하는 용어의 뜻은 다음과 같다.

1. "영유아"란 6세 미만의 취학 전 아동을 말한다.
2. "보육"이란 영유아를 ①건강하고 안전하게 보호·양육하고 영유아의 ②발달 특성에 맞는 교육을 제공하는 어린이집 및 가정양육 지원에 관한 ③사회복지서비스를 말한다.
3. "어린이집"이란 보호자의 위탁을 받아 영유아를 보육하는 기관을 말한다.
4. "보호자"란 친권자·후견인, 그 밖의 자로서 영유아를 사실상 보호하고 있는 자를 말한다.
5. "보육교직원"이란 어린이집 영유아의 보육, 건강관리 및 보호자와의 상담, 그 밖에 어린이집의 관리·운영 등의 업무를 담당하는 자로서 어린이집의 원장 및 보육교사와 그 밖의 직원을 말한다.

법률적으로 건조하게 정의되고 규정한 문장이지만 이 속에는 보육의 매우 기본적인 의미가 잘 담겨있다. 영유아가 건강하고 안전하게 성장할 수 있도록 도움을 주어야 한다.
교육적인 측면에서 신체적, 정성적, 지적 및 언어적 발달에 기여할 수 있는 경험을 제공해야 한다.
위의 모든 것들을 잘 생각해 보면 우리가 늘 하는 가장 중요한 일이라는 것을 알 수 있다. 이렇듯 영유아보육법 속에 우리가 알아야 할 모든 것이 담겨 있는 것이다.
이 조항에는 보육의 기본이라고 할 내용이 뚜렷하게 존재한다. 밑줄쳐진 부분이 바로 그것이다. 우리 보육시설에서는 어린이를 건강하고 안전하게 보호해야 하며, 영유아의 발달 특성에 맞도록 교육을 해야 한다. 보육이 바로 이런 종류의 사회복지서비스라고 규정하고 있다.
보호라는 측면에서는 영양, 건강, 안전 등을 고려하고 균형 있는 영향을 공급해야 한다. 신체적 정서적으로 건강을 유지할 수 있도록 스스로 자신의 안전을 보호할 수 있는 능력을 갖도록 해야 하는 것이다.

지금부터 위의 법령에서 강조하는 ❶과 ❷, ❸의 관점으로 다음을 설명한다.

❶ 제2조 (정의)에 따른 영유아를 건강하고 안전하게를 아래와 같이 나열한다.
- 보호 측변에서 영양, 건강, 안전 등을 고려하고 균형 있는 영향을 공급
- 신체적 정서적으로 건강을 유지할 수 있도록 스스로 자신의 아전을 보호할 수 있는 능력을 갖도록 함으로써 영유아가 건강하고 안전하게 성장할 수 있도록 도움
- 교육적인 측면에서 신체적, 정성적, 지적 및 언어적 발달에 기여할 수 있는 경험 제공

❷ 제2조 (정의)에 따른 영유아 발달특성을 아래와 같이 나열한다.
- 아래의 체크 포인트를 이용하여 영유아의 발달 특성을 다시 한 번 체크해 보자.

각 연령별 발달특성에 맞는 교육 체크 포인트

〈만1세〉

▶주요 발달 특성
· 혼자 걸을 수 있게 된다. | 성인에게 애정을 표현한다.
· 자아 개념이 생기기 시작한다.
  열 가지 정도의 단어를 말하며, 두 단어를 결합시키기 시작한다.
· 끊임없이 탐색을 시도하고 행동의 결과를 관찰하며 자신의 놀이를 발달시킨다.
· 사물을 명명하면서 어휘가 아주 급속히 증가한다.
  과거 사건을 모방한다.

〈 만2세 〉

▶주요 발달 특성

· 운동 기능이 발달하고 신체 움직임이 유연해진다.
  자신의 감정을 다른 사람이 알아주기를 원한다.
· 친구들에게 관심을 갖기 시작한다. | 언어를 사용하여 어른들과 교류한다.
· 주변을 탐색하기 위해 관찰, 질문, 조작, 분류, 측정을 한다.

〈 만3세 〉

▶주요 발달 특성

· 기본적인 운동기능이 확립된다.
  자기통제를 하기 시작한다.
· 친구와 활발히 놀기 시작한다.
  그림책 등의 줄거리를 이해한다.
  질문이 많아진다.

〈 만4세 〉

▶주요 발달 특성

· 약간 복잡한 운동이 가능해진다. | 자기 주장이 강해지고 성취에 기쁨을 느낀다.
· 필요한 규칙은 스스로 따른다. | 구어가 완성되고 문자에 흥미를 갖는다.
· 원인과 결과를 때때로 혼동하면서 이치를 알고자 한다.

〈 만5세 〉

▶주요 발달 특성

· 가위질이 능숙해진다. | 성취나 경쟁적인 욕구가 충족된 일에 만족한다.
· 집단활동에 대한 즐거움이 증가한다. | 발음 체계가 완성되고 구어를 완전히 습득한다.
· 알고자 하는 것들에 적극적으로 질문, 궁리, 해결하려는 탐구력이 증가한다.

〈출처 - 아이사랑 보육포털〉

③ 제2조 (정의)에 따른 사회복지 서비스를 아래와 같이 나열한다.

◎ 사회복지

복지 국민의 생활 향상과 사회 보장을 위한 사회 정책과 시설을 통틀어 이르는 말. 교육, 문화, 의료, 노동 따위 사회생활의 모든 분야에 관계하는 조직적인 개념으로 국민 기초 생활 보장법, 아동 복지법, 사회 복지 사업법 따위의 법률에 기초를 둔다.

◎ 서비스

1. 생산된 재화를 운반 · 배급하거나 생산 · 소비에 필요한 노무를 제공함
2. 개인적으로 남을 위하여 돕거나 시중을 듦
3. 값을 깎아 주거나 덤을 붙여 줌

◎ 사회복지서비스

국가나 지방 자치 단체 및 민간 부문의 도움이 필요한 모든 국민에게 상담, 재활, 직업 소개 및 지도, 사회복지 시설 따위를 제공하여 정상적인 사회생활이 가능하도록 지원하는 제도

◎ 현재 사회복지서비스의 변화

현재 우리나라 출산률은 인구절벽을 넘어섰다. 그렇다면 우리의 일자리를 위협받는 상황에서 우리는 어떤 마음가짐과 정신을 가지고 임해야 하는 것일까?
어린이집, 보육복지 서비스의 제공 인력은 보육교사이다. 그러므로 어린이집의 보육교사가 보육서비스의 핵심이며 질을 책임지고 있다고 할 수 있다. 또한 어린이집의 수준과 전문성을 책임지는 교육 서비스의 당사자로 영유아가 있다. 우리의 전문성은 아이들에게서 비롯된다.
즉 사회복지서비스 중 하나인 보육서비스는 대인 서비스이며, 그 주체는 보육교사이다. 또한 보육교사의 시비스는 영유아를 대상으로 함을 잊지 말자. 이것이 우리의 전문성이기 때문이다.

교사의 기본

1. 사회적 변화에 따른 교사의 기본

(1) 1차 표준보육 과정 시행 전의 보육교사의 기본

2004년 영유아보육법이 개정된 이후에 어린이집의 보육을 위한 표준보육 과정의 개발과 보급을 위한 법적 근거가 마련되었다. 표준보육 과정이 고시되기 전 보육교사는 영유아를 양육하고 케어하고 보호하는 지도자의 역할을 했다고 볼 수 있었다.
이은화(1985)는 보육교사의 역할을 환경제공자, 관찰자, 프로그램제공자, 연구자, 부모교육상담자, 평가자 등 영유아의 요구에 반응하는 역할자로 제시한 바 있다.

(2) 4차 표준보육 과정 시행 전의 보육교사의 기본

표준교육 과정 1차, 2차, 3차, 4차 및 개정 누리과정이 고시되며 놀이와 상호작용의 중요성을 이해하고 보육교사의 전문성을 강조하게 되었다.
표준보육 과정의 구체적 보육내용은 영유아의 전인적인 성장을 도모하며 기본생활을 강조하고 있다. 또한 교사 주도적 보육에서 벗어나 영유아 중심, 놀이중심을 기본 방향으로 하고 있다.
아동인권의 전환이 된 부분은 분명하나 여전히 교사 중심의 활동이 이루진다고 볼 수 있다.

(3) 4차 표준 보육과정 시행 이후 보육교사의 기본

아동 중심, 놀이 중심을 기본 방향으로 하는 표준보육 과정이 개정됨으로써 교사 주도적 교육에서 벗어나 아동 주도적·자발적 놀이를 권장하게 되었다. 일과 속에서 놀이가 충분히 이루어지고, 어린이가 놀이를 통해 스스로 배우고 느낄 수 있는 과정을 강조하게 된 것이다.

사회적 변화에 따라 보육교사의 역할에도 변화가 따른다. 보육교사가 갖추어야 하는 역할을 다음과 같이 정리했다.

놀이에 사용할 재료 제공하기(개방적 놀잇감, 아이들이 좋아하는 것으로)
놀이를 방해하지 않으면서 상황에 맞는 질문하기, 지켜보기
놀이를 향상시키기 위한 놀이자료, 사물, 환경 세팅, 재조정하기
아이와 평행하게 놀기(그대로 따라하기, 웃기, 행동을 그대로 말하기, 미리 답 말하지 않기)
아이의 놀이를 방해 하지 않으면서 아이의 시도를 끝까지 기다려 주기
방해 없이 따뜻함
물리적 편안함 제공하기
아이가 놀이를 충분히 마친 것에 대해 이야기해 주기
놀이가 서로 방해가 되지 않도록 충분한 공간을 마련, 시선과 방향을 잘 고려 해주기
아이들의 개별적 차이를 인식하고 그에 대한 관찰과 기록을 잘 해 두어야 함
시선이 교사에게 집중되지 않고 아동 시선이, 자신의 흥미
관심 하나를 관찰하며
교사는 편견 없이 유아의 놀이를 들여다보려는 노력이 필요
놀이 속 상징적 메시지가 함축되어 담긴 의미를 관찰
동료 교사와 함께 놀이를 들여다보고 의미를 찾아가는 과정을 공유
모든 놀이에서 교사는 자문해야 함
- 이 놀이는 어느 정도가 정말로 아동에 의해 선택된 것인가? 아동에게 어디서, 언제, 누구와 놀 것인지에 대한 선택권이 있는가? 아동은 자신의 놀이에 얼마나 몰입하고 있는가?

2. 어린이집 내에서 찾아본 교사의 기본

어떤 일이든 기본이라는 게 있다. 요즘은 최소한 지켜야 할 것이나 알아야 할 것 또는 어느 정도 갖추어야 할 것으로 이해되는 경우가 많다. 하지만 교사에게 기본은 대충 그 정도 선을 유지하는 게 아니라 반드시 일정 수준이나 품질을 유지하는 것이라고 생각한다.

교사는 혼자서 무엇을 달성하거나 완성하는 사람이 아니기 때문이다. 어린이나 학부모 등 사람을 상대로 하며 서로 상호작용을 통해 나은 결과를 만들어 가는 사람이다. 교사는 사회적이며 타인에게 호감과 신뢰를 줄 수 있는 사람이어야 한다. 활기차고 적극적이어야 한다.

신뢰라는 측면에서 교사는 교육전문가로서의 자질을 가지고 그것을 펼쳐 보일 수 있어야 한다. 유아의 발달 과정이나 심리 변화 등을 올바로 볼 수 있어야 한다. 이를 위한 지식을 갖추기 위해 전문가적인 공부가 필요하다. 교직원의 이미지를 바탕으로 학부모를 대할 수 있어야 한다.
현장의 교사에게 기본적으로 필요한 것을 아래와 같이 정리해 보았다. 또 교사로서 이미지를 갖추기 위한 열 가지 방법도 생각해 보았다.

1) 기본이 정도다.

보육의 주인공은 분명 아이들이며, 주인공은 돋보여야 한다.

2) 현관이 생명이다.

흔히 대문이나 현관이 중요하다는 말을 많이 한다. 가정으로 보자면, 모든 것이 들어오는 최초의 관문이기 때문일 것이다. 또 현관에서 안을 살짝 들여다 보기만 해도, 그 안의 분위기를 파악할 수도 있다. 현관의 풍수지리마저 강조되는 건 그래서 일 것이다. 그렇다. 현관은 어린이집의 얼굴과도 같다.
나는 어린이집의 현관에 아낌없는 환경적 투자를 한다. 그것이 어린이집의 매너라는 소신을 가지고 있기 때문이다.

3) 남다른 원아 관리법을 가지고 있다.

어린이집별로 그만의 특징과 특색을 가지고 있다. 그것은 우리 주인공인 아이들을 빛내는 조명이며 대본이기도 하다. '원아관리'라고 하는 것으로 그 원의 방침이나 컬러를 드러내기도 한다.

4) 부모와의 소통이 적극적이다.

부모와의 소통 창구는 생각보다 다양하지 않다. 그러므로 정성어린 알림장이나 현관에서 2~3분의 소통은 적극적이어야 하며 전문성을 지녀야 한다.

5) 어린이집 특색 사업을 자신 있게 이야기할 수 있다.

어린이집마다 몇 가지의 특색 사업을 진행한다. 우리 원의 경우 인성 프로그램이 대표적인데, 정착하기까지는 2~3년의 시간이 걸렸으며 지금도 업그레이드 중이다. 특색 사업은 원이 갖고 있는 저마다의 특별한 환경에 바탕하고 있으므로, 교사가 관심을 갖고 설명하고 대응할 수 있어야 한다. 어린이집의 방향성에 관심을 갖고 연구하는 자세가 필요하다.

6) 교직원의 이미지가 남다르다.

어린이집은 인적자원(보육교사)에 의존해야 하는 특성을 갖고 있다. 그 인적자원은 그 어린이집의 이미지를 만든다.
20여 년 전 내가 처음 어린이집에 입문하던 때 일이다. 민간어린이집 원장이었던 친구가 자격증만 빌려 달란 부탁을 해왔다. 그런 후에 갑자기 지도점검이 있으니 와달라 했는데, 그렇게 어린이집 교사의 일을 시작하게 되었다.

2001년 여름, 정책적으로는 만 1세 교사 대 아동 비율이 1 대 5였으나 암암리에 1 대 15까지도 되었던 시절이다. 그때 만났던 선배 교사에게서 어린이집 교사의 역할과 사명감을 배웠다.

OO 이는 만1세 임에도 인스턴트 음식을 많이 먹어 심한 변비였다. 그런데 내가 돌보던 시간에 신호가 온 것이다. 아이는 배가 아픈지 절규하듯 30분 이상을 울었다. 난생 처음 듣는 아이 울음이었다.

어찌 해 줄 수 없어 아이의 손을 맞잡고 같이 울었던 기억이 생생하다.

그때 선배 교사는 당황하지않고 벌떡 일어나 일회용 장갑을 착용한 후 아이의 손을 한 번 잡아주고 아랫배를 마사지했다. 바세린을 검지에 바르고 아이의 항문을 파기 시작했다. 그러자 아이는 울며 용기를내듯 딱딱한 변을 보기 시작했다. 비오듯 땀을 흘리며.

나는 그날 퇴근 후 잠을 이루지 못했다. 아마도 교사의 진정성과 위대함을 느꼈던 걸까. 가슴 속에 뜨겁게 올라오는 무엇인가를 느꼈다. 기적을 느끼는 순간이 아니었을까? 이후 보육을 바라보는 내 모습이 변하기 시작했다. 기적은 교사의 용기가 되고 교사의 소신으로 이어졌다.

이런 소신이 모여 어린이집의 이미지를 만든다고 생각한다.

◉ 교사 이미지를 만드는 10가지 방법

① 영유아보호법 중 '정의'를 알고 이해한다.

② 원장의 교육철학을 철저하게 이해하고 보육에 임한다.

③ 원아와 학부모를 대할 때는 '솔' 톤을 유지하고, 항상 미소 띤 모습으로 대한다.

④ 우리에게 가장 소중한 사람은 '원아'임을 잊지 말고, 최선을 다하여 함께 생활한다.

⑤ 최소한 우리 반 아이의 발달단계는 모두 알고 있어야 한다.

⑥ 아이들을 돌보고 책임지는 교사라는 일에 자부심을 갖고 허리를 펴고 걷는다.

⑦ 자신의 전문성 신장을 위해 항상 노력한다.

⑧ 용모를 단정히 하고(깊이 파인 옷 피함) 입체적 네일은 하지 않는다.

⑨ 전문가다운 용어를 사용하고 동료 간에는 존대말을 사용한다.

⑩ 등·하원 때는 원아와 눈높이를 맞춰 '사랑합니다' 하고 환한 웃음으로 인사한다.

3. 원아와 교사

어린이집 교사에게 가장 중요한 대상은 어린이다. 어린이는 하나의 인격체로서 교사에게는 교육의 대상이기도 하고 건강하고 안전하게 보호해야 하는 대상이다. 어린이에 대한 사랑이 교사의 기본적인 마음이 되어야 하겠지만 그것만으로는 부족하다. 무한한 사랑도 필요하지만 때로는 효과적인 교육을 위한 계획이 필요하고, 안전한 활동을 위한 제제도 필요하다.

아이들은 유아교육기관에서 생애 최초의 사회를 경험한다. 가족 외 타인과 함께 생활하며 세상의 규칙을 배운다. 다음은 교사가 원아에 대해 가져야 하는 기본적인 10가지 마음가짐이다.

교사가 원아에게 가져야 할 10 가지 마음

1. 영·유아가 인격체임을 알고, 존중하는 마음을 갖는다.

영유아를 보육하기 전, 아이의 눈높이에서 생각해 보고 이해해 본다면 분명 보인다. 아이의 그 행동이. 그러므로 조금 기다려 주고 "○○아, 선생님이 기다려줄게 천천히 해!"라고 이야기하는 것이 진정한 교사의 모습이 아닐까?

교사는 아이들의 거울이다. 그러므로 영유아에게 적절한 언어적 대응을 해야 한다. 교사의 올바른 언어적 대응은 어린이의 성장 발달에 중요한 도움을 주기 때문이다. '내가 먹었다!', '너랑 친했다', '내가 알았다' 등 영유아가 자신의 생각을 이야기를 할 때 단어를 배열하여 원하는 문장으로 표현할 수 있기 때문이다.

2. 영·유아 지도는 교실 안에서 이루어지며 교실 밖으로 데리고 나와서 지도하지 않는다.
(또한 CCTV 사각 지대 안 됨)

어린이집에서 '훈육'이라는 표현들이 사라지고 있다. 훈육이란 말뜻은 품성이나 도덕을 가르치고 기르는 일이지만, 뭔가 강압적인 옛날의 말 같은 느낌 때문이다. 어린이도 하나의 인격체로서 개성과 성향을 존중해야 하는 것이 올바른 보육관이다. 이런 면에서 과거의 훈육이란 단어의 부정적인 느낌은 지양해야 한다.

최근에는 '지도' 라는 이름으로 CCTV 사각지대에서 아이에게 합당치 않은 방임, 신체적 학대, 정서적 학대, 성적 학대, 유기 등의 행위가 빈번한 것은 보육기관의 선생님이나 학부모가 다 아는 사실이다. 때문에 조그마한 의혹도 없어야 않다.

어린이집에서 CCTV 사각지대 자체를 없애는 것이 바람직하다. 때문에 우리 원에서는 양 방향으로 CCTV를 설치하여 사각지대를 두지 않는다.

3. 결석한 영·유아는 당일 전화로 사유를 확인하고, 연락이 안 될 때는 원장에게 꼭 보고한다.

아이가 원에 오지 못하는 경우에는 대부분 가정에서 연락이 온다. 그렇지 않을 때, 교사는 반드시 가정으로 전화해 부모님과 통화해야 한다. 결석 사유를 확인하고 그에 대한 조치도 취해야 한다. 부모님과 통화한 후에는 원장에게 보고한다.

4. 안전에 늘 유의하고, 안전사고 발생 시 미루지 말고 보고한다.

안전문제에 대해서 대부분의 교사가 잘 인식하고 있다. 실내외 활동이나 놀이에서 항상 안전을 염두에 두고 있다. 하지만 아무리 걱정하고 염려해도 안전사고를 완전히 막을 수가 없다.

첫째는 예방이지만 만일의 경우 사고가 발생했을 때의 대응이 중요하다. 올바른 대응은 사고의 강도를 훨씬 줄여주기 때문이다. 매뉴얼 대로 대응하고, 곧바로 보고한다.

5. 놀이터나 실외활동에서 안전에 유의하며 세심하게 지도한다.

최근 관리동 어린이집이 많이 느는 추세다. 이 경우 놀이터의 관리 주최는 해당 아파트 관리사무실이 될 때가 많다. 그러므로 놀이터에서 사고가 발생했을 경우에는 안전관리 주체의 범위가 애매할 때가 있다.

이 때문에 아이들이 피해를 보는 수가 있다. 관리동의 특성상 외부의 많은 시선이 존재한다. 이런 부분은 자칫 한쪽 면만을 보게되므로 오해의 소지가 생길 가능성이 크다. 때문에 교사는 실외에서는 더욱 긴장해야 한다.

6. 어린이집은 영·유아를 위한 기관임을 기억하고 영·유아 중심 교육이 될 수 있도록 한다.

아동학대를 비롯해 어린이를 잘못 대하는 일에 대해 사회적으로 예민하다. 어린이집은 '영유아의 권리존중'을 중요 과제로 설정하고 교사교육의 첫 장에 수록해야 한다. 이와 함께 학부모 오리엔테이션에서 '영유아의 권리존중' 서약을 진행하고, 학부에게도 어린이 인권을 강조하며, 우리 어린이집의 신뢰도 도모해야 한다.

7. 영·유아에 대한 통제는 최소화하여 안전과 교육상 꼭 필요한 경우에만 한다.

담임교사는 전화로 결석 사유와 아동의 안전을 확인하고 다음 출석일을 확인한다. 전화 연락이 되지 않는 경우 원장이나 원감에게 보고하고, 계속 연락을 해본다. 출석하기로 한 기일이 지나도 출석하지 않는 경우에는 가급적이면 어린이 가정을 방문해 본다.

8. 멀티수업을 제외한 시간 보내기용 동화 등 동영상은 보여주지 않는다.

아이들에게 동영상을 시청하도록는 일은 매우 주의해야 한다. 일부 보육교사는 아이들을 쉽게 집중시키고, 시간을 쉽게 보내기 위해 어린이 영상을 보여주곤 한다. 영상을 시청하는 일은 뚜렷한 목적이 있는 수업시간 외에는 자제해야 한다. 한두 번 보여주다 보면 그 횟수가 느는 것이 보통이다.

영상의 홍수인 시대에 가정에서도 아이들은 영상에 매인 경우가 많다. 하물며 어린이집은 가정과 다른 곳이다. 보육기관이며 교육기관임을 알고 교사의 역할을 생각해야 한다.

9. 문법에 맞는 언어를 사용한다.

아이들은 교사의 말투를 보고 배운다. 원내에서 아이들과 함께 있을 때는 일반적으로 어른과 대화를 나눌 때 사용하는 단어와 말투를 피하는 것이 좋다. 잘못하면 아이들이 어른의 말투를 따라하고 어른 흉내를 내게 된다. 말은 사물을 보거나 상황을 대할 때의 태도가 그대로 드러나게 한다는 것을 잊지 말자.

10. 7초 포옹법을 하루에 한번 꼭 실천한다.

어린이들에게 스킨십은 참으로 중요하다. 어린이집 교사의 7초 포옹법을 강조하는 것도 그 때문이다. 포옹을 하는 순간 어린이는 말할 것도 없고 교사도 사랑받는다는 것을 느낄 수 있다. 이런 신뢰는 아이가 어린이집 생활을 하는 데 기본적인 신뢰와 안정감을 형성하는 요소다. 미소 지으며 아이를 안아주는 선생님을 생각해 보라.

다음에 소개하는 '하루 약속 7초 포옹'은 우리 어린이집에서 각 반에 게시하여 매일매일 모든 아동에게 실천할 수 있도록 지도하고 있다.

등원할 때 따뜻한 말로 안으며 반겨주는

하루 약속 7초 포옹

1. 두 손을 마주 잡아요!
2. 두 눈을 마주 보아요!
3. 꼬 ~ 옥 안아줘요!
4. '사랑해' 귓속말을 해요!

4. 양육자와 교사

사람을 보고 판단할 때 첫인상이 가장 중요하다고 한다. 한 번 첫인상이 만들어지면 바꾸기 힘들다. 첫인상이 좋으면 뭐든 신뢰가 가고 다른 것들도 좋아보이기 마련이다. 교육기관도 마찬가지다. 어린이집도 마찬가지다. 어린이집의 첫인상은 누가 만드나. 그렇다. 바로 교사다. 학부모가 가장 처음 만나는 사람인 교사가 결정한다. 하루의 첫인상은 어디서 결정되나? 통학 차량이나 현관 등이다.
현관은 무엇보다 중요하다. 그래서 '현관을 사수하라!'는 문장 아래 우리 원 현관에서 교사의 매너를 열 가지로 정리했다. 매일매일 등하원 때 2~3분의 상담이 어린이집의 신뢰를 만든다.

현관을 사수하라! (현관 매너 지키기)

대개 양육자와의 소통은 등하원 지도나 알림장, 전화 통화로 이루어진다.

1. 신속히 다가가 정중히 '사랑합니다'라고 명랑하게 인사한다.
2. 원아의 에피소드나 계절인사로 시작한다.
3. 말을 하고 들을 때는 원아를 바라본다.(교사의 시선은 원아의 눈높이)
4. 대화의 중심엔 언제나 아이들이 중앙에 있어야 한다.
5. 고개를 끄덕이거나 맞장구 등의 호응으로 대화한다.
6. 벨이 울리면 민감하게 반응하며 다른 반 벨이 울려도 10초 이상을 넘기지 않는다.
7. 양육자의 질문에 잘 모르는 부분은 "알아본 후 안내해 드리겠습니다"라고 대답한다.
8. 전문가다운 용어를 사용한다.
9. 양육자와의 논쟁은 피한다.
10. 길어진 상담은 정중히 아이들의 보육이 먼저 임을 알린다.(전화상담 안내)

알림장은 양육자와의 소통을 좌우한다.

1. 알림장은 오늘 하루 아이들의 생활과 부모님께 요청할 사항을 전달하는 소통창구이다.
2. 알림장은 교사와 양육자 아이를 잇는 연결고리 역할을 한다. 그러므로 작성하려는 부분에 대해 아이에게 직접 물어본 후 작성하면 시간이 줄어들게 되고 양육자의 신뢰도 생길 수 있다.
3. 의사소통이란 쌍방향을 의미한다. 그러므로 알림장을 쓸 때는 양육자의 관심사를 고려하여 작성한다.
4. 시각적으로 글보다 한 장의 그림이 주는 메세지가 클 수 있다. 사진을 잘 활용하는 것이 팁이 될 수 있으나 사진을 삽입하기 전 사진 속 애매한 부분이 없는지 확인한다.(핸드폰의 배경 흐림 효과 선택)
5. 알림장은 글이므로 오해의 소지가 있다. 그러므로 객관적인 표현과 권유형, 청유형인 표현으로 바꿔 사용하는 것이 바람직하다.
6. 원아의 놀이를 그대로 이야기로 담을 수는 있으나 거기에 발달 상황(전문 용어를 사용해서)을 더해 주어야 교사의 전문성이 돋보인다.
7. 유아반일 경우 주에 1회 이상은 개별 알림장으로 양육자와 소통하여 어린이집생활을 안내한다.

*학부모와 교사는 2장 상담 부분에서 집중적으로 다루기로 한다.

5. 원장과 교사

원장은 기관을 책임지고 있는 사람이다. 아이들 하나하나에 대한 애정과 함께 전문 경영인의 시각으로 원 전체를 볼 수도 있어야 한다. 그러기 위해서 무한한 애정이 담긴 가슴으로 사랑할 수 있어야 하며 때로는 평정심을 가지고 냉정하게 우리 원의 현황을 파악해야 한다.

이것은 무한한 책임감과 동시에 예리한 시각을 가진 전문인의 자세다. 원의 전체적인 환경구성이나 놀이시설, 실내와 수업을 위한 교구교재의 현황을 알아야 하고, 어린이들의 건강을 챙기는 먹거리부터 안전한 원생활을 위한 철저한 준비까지 모든 일에 책임감이 따른다.

그러므로 교사와 달리 한 발 떨어져 기관 전체를 볼 수 있어야 한다. 나아가서 외부인의 시선으로 우리 원을 바라보고 문제점을 찾아낼 수도 있어야 한다. 한 발 떨어져 여유를 가지고 전체를 함께 보아야 더 잘 볼 수 있기 때문이다.

교사는 원장을 어떻게 대해야 할까.

역지사지의 마음으로!

1. 어린이집 현관 입구는 원장 방

대개 어린이집의 현관과 가장 가까운 곳에 원장실이 많다. 그만큼 원장실의 문턱이 낮아야 하기도 하지만 원의 출입인을 쉽게 알기 위한 목적도 있다. 그러므로 교사는 출근할 때 원장실 문을 두드리고 밝은 얼굴로 인사한다. 원장도 마찬가지로 반갑고 밝은 표정으로 교사를 대한다.

2. 사소한 일도 원장에게 보고하기

어린이집의 모든 책임은 원장이 진다. 따라서 교사는 사소한 부분도 원장에게 보고해야 한다. 사소한 변화와 문제점을 보고하지 않으면 문제의 원인을 그냥 지나치거나, 확대시킬 수 있기 때문이다. 반대로 서로 공유하고 있다면 일어날 문제점도 미연에 방지할 수 있다.

3. 변명은 하지 말자.

원장도 사람이다. 원장을 보고 자주 웃어 주는 교사에게 정이 가는 것이 사실이다. 그러므로 원장의 업무 수정 요청 시 변명보다는 "알겠습니다. 고치겠습니다. 이해해 주셔서 감사합니다" 등의 반성적 사고가 성숙한 교사의 자세다.

4. 건의 사항은 정중하게

나름의 생각이나 특별한 문제를 해결하기 위해 원장에게 건의해야 할 때가 있다. 어린이집의 발전적인 제안이나 아이디어를 건의할 수도 있다. 특히 교사간의 문제 등으로 원장과 상의하거나 건의해야 할 때는 정중하게 상담요청을 하고 진행한다.

5. 원장의 마음을 이해해 본다.

역지사지라는 말이 있다. 관점을 바꾸면 상대방을 쉽게 이해할 수 있다는 말이다. 원장은 혼자 결정해야 하는 위치에 있다. 때로는 교사 개개인의 입장을 헤아리지 못하거나, 여러 명의 교사들에 대한 형평성 문제를 안고 있을 수도 있다. 원장의 입장을 이해하고 헤아려 말할 때, 반대로 원장에게 마음을 얻을 수 있다. 원장의 마음을 알아주는 것은 한 버스를 탄 식구들뿐이라고 생각하자.

6. 우리는 소통 전문가!

어린이집 교사는 소통의 전문가가 되어야 한다. 무엇보다 학부모와의 원활한 소통이 중요하기 때문이다. 소통 전문가인 교사는 원내에서 함께 일하는 모든 사람 사이에서도 소통 전문가가 되어야 한다. 당연히 원장과 교사 간에도 마찬가지다. 행사, 회식, 간식, 명절 등 여러 행사나 기념일에 작은 감사 인사 나누기가 소통으로 이어지는 지름길이 된다.

7. 혼연일치의 정신

원장의 보육철학을 따라 한 가지의 결정이 내려질 때 모두 혼연일치의 모습을 보이자. 학부모를 비롯한 외부인의 시각에서는 하나의 어린이집이고 기관이기 때문이다. 정확한 하나의 목적이 눈에 선연할 때 그 어린이집의 모든 면에 믿음이 가는 것이다.

8. 긍정적으로 생각한다.

긍정적으로 생각하자. 원장의 지시나 전달 사항을 부정적으로 생각하면 힘이 빠지고 일할 기운이 나지 않는다. 그러면 어떡할까. 긍정적으로 받아들이기가 중요하다.

part 2.

학부모교육과 상담

유아교육기관에서 학부모상담은 필수적이며, 학부모상담은 교사와 부모 모두에게 중요한 일이다. 특히 교사는 학부모상담에 만전을 기해야 한다. 유아교육기관에서 가장 중요한 유아의 성장발달에 제일 큰 영향을 미치는 사람이기 때문이다. 유아와 학부모는 가장 중요한 관계이며, 부모는 저마다 자녀교육에 대한 가치관이나 기준을 가지고 있다. 각 가정은 서로 다른 정서적 환경을 가지며 부모들의 가치관도 다 다르다. 그처럼 양육환경과 생활환경이 다른 모든 가정의 아이들이 어린이집에서 생애 최초의 사회생활을 시작한다.

교사는 원아들 부모의 교육관이나 가치관을 알고 보육과 교육에 참고해야 한다. 아이의 생활상태나 원에서의 행동 발달적인 측면 등에 대해 부모와 공유해야 할 점도 매우 많다. 이른바 가정연계 교육의 중요성이다.

부모 입장에서는 어린이집에서 함께 생활하는 선생님의 조언이나 설명을 통해 자녀의 상황을 알 수 있다. 특히 객관적인 기준에서 이해하거나 문제점에 대해 판단할 수 있다는 것은 큰 장점이다. 때로는 자녀교육에 대한 가치관을 수정함으로써 보다 나은 자녀교육 태도를 가지게 될 수도 있다.

반대로 어린이집 역시 부모와의 개별적인 접촉을 통해 기관의 교육방침이나 환경 변화, 교육 스케줄 등을 알릴 수 있다. 부모가 이를 오해없이 정확하게 알고 있을 때 효과적인 보육을 할 수 있는 것이다.

정기적인 학부모 상담이 필요한 이유도 위와 같다. 교육기관이 어린이 발달에 커다란 영향을 미치는 부모와 상호작용 함므로써 아이들을 이해하고 이에 따른 적합한 양육방법을 찾아 접근할 수 있다. 부모의 양육신념을 양육행동으로 이어지도록 하는 밀착형 연계 및 실천적 양육행동을 촉진하는 목적이 있다.

2장은 다음과 같이 4단계로 나누어 구성했다.

1단계	2단계	3단계	4단계
상담 전 자료 수집하기	상담 준비하기	상담의 실제	관찰 예시

아래의 문제를 풀어 보면서 아이들의 발달 단계에 대해서 생각해 보고자 한다.

< O X 퀴즈 >

1. 나의 나쁜 행동이 다른 사람에게 영향을 미칠 수 있다는 것을 아는 나이는 만5세경이다.
   <O , X>

2. 만3~4세가 되면 아이들이 자신의 상상과 사실을 정확하게 구별하여 이야기한다.
   <O , X>

3. 아이들은 부모보다 형제 관계를 통해 언어발달을 더 촉진한다.
   <O , X>

정답

1. X 만5세에도 자신의 나쁜 행동이 타인에게 영향을 미치는 것을 안다. 그러나 아이들은 그보다 훨씬 이전인 만3세경부터 타인에게 나쁜 행동이 주는 영향을 알 수 있다고 한다.

2. X 아이의 거짓말은 성인과는 다르다. 상상과 현실을 혼돈하여 실제인 것처럼 표현하거나, 원하는 것을 갖고 싶을 때 말과 행동을 합리화하는 방어기제로 사용하기 때문이다. 아이들의 이야기를 들을 때 잘 판단하여야 할 이유가 여기에 있다.

3. O 조사결과 다둥이 가정에서 자란 아이들이 언어발달이 빠르다고 한다. 수다스런 가정이 묵직한 가정에 비해 아이가 말을 더 잘하는 경우가 많듯, 언어 자극이 많으면 영향을 미칠 것이다.

1단계 - 상담 전 자료 수집하기

1. 아동 관찰하기

◎ 아동발달단계 알기

발달시기를 놓치지 말아야 하는 이유는 아래 발달의 원리에 있다. 발달에는 일정한 순서가 있다.
(앉기->서기->걷기) 발달에는 일정한 방향이 있다.(머리에서 발끝으로)

- 발달의 속도는 일정하지 않으며 개인차가 존재한다.
- 모든 발달은 밀접한 연관성을 갖고 있다.
- 발달에는 결정적 시기가 있다.

학부모 상담을 위해 아동의 발달단계를 파악하였다면, 다음은 아동 관찰을 통해 그 아동의 정보를 파악해야만 아동에게 도움을 줄 수 있을 것이다. 그렇다면 관찰을 통해 어떠한 측면에서 적용이 되고 있는지 몇 가지 예를 통해 알아 보자.

어린이집 교사는 적응기간을 통해 아동의 발달 정도와 성향, 일상을 관찰한다. 학부모는 내 아이나 또래 아이의 놀이, 상호작용을 관찰하며 발달 정도를 체크하기도 한다. 어린이집에서 원장은 안전에 문제가 있다고 판단되면 CCTV 녹화분을 보며 사고 경위를 파악한다.

그러므로 객관적 관찰을 하기 위해서는 일상 속 가능한 사건들을 꾸준히 관찰하여야 할 것이다. 특히 선택한 아동의 관찰 시 어디서부터 어떻게 관찰할 것인지 생각하고 그 아동의 발달 상황을 보편적으로 관찰, 환경, 상호작용, 하루일과, 상황 등을 판단할 수 있어야 한다.

체계적인 아동 발달 기록의 방법과 유형에 대해 알아본다.

2. 관찰기록의 유형

유아교육 현장에서 어린이를 관찰하는 것은 매우 중요한 일이다. 관찰을 통해서 어린이의 발달 수준을 파악할 수 있으며, 유아가 어디에 흥미와 관심을 두고 있는지 알 수 있다. 이를 바탕으로 교수법을 계획하고 효과적인 교육을 진행할 수 있다. 관찰은 관찰로만 끝나지 않고 기록으로 남겨 어린이 교육에 중요한 자료로 쓰이기 때문이다.

또한 교사는 꾸준한 관찰기록을 근거로 자신의 교수방법에 대해 돌아보고 문제점을 알아내거나 나은 방향으로 수정할 수 있다. 그렇기 때문에 관찰하고 기록하는 방법은 미리 계획되어야 하며, 체계적이고 객관적인 방법에 따라 일관적으로 이루어져야 한다.

관찰기록의 대표적인 방법들에 대해 알아본다.

1) 표본식 기록

특정 시간과 장소 등을 정해 두고 그 안에서 지속적으로 관찰하는 방법이다. 계속적으로 관찰하고 일어나는 모든 것을 기록하게 된다. 때문에 관찰 대상의 행동을 매우 구체적으로 완전하게 보고 기록할 수 있다는 장점이 있다. 어린이의 특정 행동을 선택해 그것을 포착하고 기록한다기보다는 주어진 범위 안에서 일어나는 모든 것을 기록한다.
이러한 관찰법은 당연히 많은 인원을 관찰하는 것은 불가능 하다. 지속적으로 살펴야 하기 때문에 대부분 한 명에 한정해서 관찰할 수밖에 없는 것이다.

◎ 기록방법

주어진 공간과 시간 속에서 일어나는 모든 것을 시간의 순서에 따라 기록한다. 특별히 중요한 멘트와 행동 등만을 골라 적어서는 안 된다. 관찰하는 한 명의 유아가 하는 말과 행동에 대응하는 다른 유아와 교사 또는 학부모 등의 대화도 기록된다.

- 관찰 날짜, 시간, 관찰 아동, 관찰자의 이름을 미리 적어 놓는다.
- 유아의 행동이 관찰된 장소 및 장면을 표시한다.
- 보고 들은 것을 그대로 기록한다. 즉, 객관적인 사실만 기록하며 관찰자의 해석이나 주관적인 판단 혹은 추론은 포함시키지 않는다.
- 참여 대상이 되는 유아뿐 아니라 그 유아와 상호작용을 하고 있는 사람들(다른 유아, 교사, 학부모)의 말과 행동도 적는다.
- 지금 일어나는 일을 현재의 시재로 옮긴다. 일어나는 대화 역시 직접화법으로서 유아나 성인이 한 말을 그대로 적어야 한다. 참여 대상의 말은 인용부호로 처리한다.
- 사건의 경과에 따라 그대로 적는다. 즉 시간의 순서대로 적어간다.
- 기록의 왼쪽 여백에 시간의 경과를 표시할 수 있도록 한다. 예를 들어 10분 동안 관찰하고 기록한다면 1분 단위로, 30분이라면 5분 단위로 표시한다.
  이렇게 하면 특정 이야기를 하거나 동작, 행동을 한 시간을 알 수 있고, 동작과 상황의 변화가 일어나는 지점을 정확히 알 수 있다. 또 유아가 특정 동작에 얼마만큼 집중하는지 파악할 수 있다. 이는 관심의 강도를 알아볼 수 있는 장치가 된다. 이러한 기록은 향후 유아의 행동 변화를 예측하거나 유추하는 데 큰 도움이 된다.
- 자세하고 객관적으로 기록하며, 행동 특성이 드러나는 부분은 추가 멘트를 단다.

2) 일화 기록

핵심적 단어 혹은 짧은 구절에 기초한 일화기록은 몇 초에서 몇 분 정도의 사건에 대한 서술적인 설명으로 기록 시간이 적게 걸리고 특별한 계획, 양식지, 시간 구성 등을 요구하지 않는다. 신문기사처럼 독자에게 그 사건이 언제, 어디서, 누가, 무엇을, 어떻게 하였는지 말해 주는 것과 같은 방식으로 기록하는 것과 같다.
일화기록은 개인의 특성을 이해하기 위해 그 개인이 나타낸 구체적인 행동 사례나 어떤 사건을 기록하는 방법으로 교육현장에 가장 실시하기 쉬운 방법이다.
그러나 일화기록을 하기 위해서 관찰자는 각 유아들의 연령별 발달 특성을 정확하게 알고 이해하고 있어야 할 뿐만 아니라, 유아교육기관에서 발생하는 유아들의 일상생활과 연관된 중요한 일들을 잘 알고 있어야 한다. 일화기록으로 행동을 기록할 때는 관찰 행동을 크게 세 가지 수준으로 나누어 기록하는 것이 필요하다. 첫 번째는 행동의 전반적인 측면이나 주요 행동을, 두 번째는 주요 행동의 하위 행동을, 마지막으로는 행동의 진행 상황을 구체적으로 기술한다.

◎ 일화 기록 관찰 지침

• 발달 상의 중요한 사건을 기록할 때 사용할 수 있다.
• 핵심 단어를 사용하여 관찰한 후 가능한 빨리 간결하게 기록하거나 녹음한다.
• 관찰 시간, 장면, 진행 중인 활동 등 상황 자료가 기록에 포함되어 있다.
• 관찰 아동의 주행동이 적혀 있다. 즉 한 가지 행동에 초점이 맞추어져 있다.
• 유아가 한 말이 그대로 인용부호 안에 적혀있다.
• 관찰 아동의 말과 행동뿐 아니라, 상호작용하는 다른 유아나 교사의 말과 행동도 기록된다.
• 발달 상 중요 포인트를 적어 놓는다.
• 기록이 객관적이고 사실적이며 추론과 해석이 배제되어 있다.
• 각 유아의 발달상의 다양한 일화들을 모으기 위해 정기적으로 포트폴리오를 체크한다.

3) 사건표집법

사건표집은 단순히 어떤 행동의 발생 유·무만을 관찰하기보다는 행동이나 사건이 발생하기를 기다렸다가 관심을 가진 행동이나 사건이 일어나면 일정한 형식에 따라 행동의 순서를 자세하게 기술하는 방법이다.
이 사건표집법을 통해 관찰되는 행동이 얼마나 자주 일어나는지, 그런 행동이 얼마나 지속되는지, 그런 행동의 동기는 무엇인지, 그리고 표집 행동의 원인이나 행동의 심각성에 대한 정보를 얻을 수 있다.
그런 특성으로 필요하면 사건 이전의 상황도 기록할 수 있다. 관찰자가 기록 시 선택하는 행동이나 사건의 범위는 특별히 제한이 없으며, 관찰 시간 정도는 관찰의 초점이 되고 있는 행동 특성에 달려 있다. 또한, 관찰 행동은 더 단순하게 기록하도록 부호화할 수 있다.

◎ 사건표집의 기록 과정

• 사건표집법을 사용하려는 이유(원인, 빈도, 지속성, 심각성)에 대해 생각해 보라.

• 행동 범주 유형을 선택하라.(공격성 : 때리기, 물기, 꼬집기, 뺏기, 욕설하기)
• 목적에 맞는 관찰 양식을 준비하라.(ABC 사건표집 또는 빈도사건표집)
• 필요한 경우, 행동 범주에 대한 조작적 정의를 기록하라.(공격성은 … 를 말한다.)
• 관찰 행동을 가능한 정확하고 상세하게 기록하라.
• 충분히 기록되었다면 분석하는 시간을 가져라.
• 분명한 진술로 객관적인 추론을 기록하라.

장점

① 관찰하고자 하는 시간의 한계가 분명하고 관찰하려고 하는 행동에 대한 정의가 분명하기 때문에 다른 어느 관찰 방법보다 신뢰도와 객관성이 높다.
② 한꺼번에 많은 수의 대상을 관찰할 수 있기 때문에 비교적 짧은 시간에 다량의 자료를 수집할 수 있어 효율적이다.
③ 관찰을 부호화하여 기록하기 때문에 시간, 노력, 경비 등을 절약할 수 있다.
④ 빠르게 일어나는 행동을 체계적으로 관찰하는 데 가장 적합한 방법이며, 개인 혹은 집단을 모두 관찰할 수 있다.

단점

특수한 행동만을 그 대상으로 하고 있기 때문에 시간표집에서 얻어진 연구 결과를 토대로 사건의 전모나 상호작용 패턴, 행동의 인과관계를 파악하는 것은 어렵고, 사전에 행동을 정의하고, 범주화하며, 기록방법을 결정하여야 하기에 사전 준비가 많다.

◎ 시간표집을 위한 관찰지

• 관찰하려는 행동에 대한 조작적 정의를 내린다. 시간표집에서는 관찰하고자 하는 행동이나 사건을 설명하는 데 쓰이는 용어가 분명하게 정의되어 있어야 한다. 관찰자나 관찰 결과를 읽는 사람이 각 용어가 어떤 의미로 사용되었는지 분명히 이해해야 정확한 의사 전달이 가능하기 때문이다. 그리고 관찰자는 각 관찰범주의 정의를 충분히 이해하고 대표적인 예를 기억해야 한다.
• 관찰 시간 간격을 결정하는 것이 필요하다. 관찰 시간 간격은 관찰하려는 행동의 발생 빈도와 특성에 따라 다르다. 보통 5분 이하의 간격을 이용한다.(예 10초 관찰-5초 기록, 15초 관찰 5초 기록 등)
• 관찰의 시간 간격이 확정되면 관찰 횟수와 총 시간 수를 결정해야 한다. 일정한 시간 간격으로 몇 회 관찰할 것인지를 결정하는 것은 대표적인 행동 표집을 얻는 데 필요하다고 생각되는 총 시간 수에 따라 달라진다.
• 관찰 행동, 관찰 간격, 횟수, 총 시간이 결정되면 관찰자는 관찰 행동을 어떠한 부호나 빈도 표시 방법

으로 기록할 것인지 결정해야 한다. 시간표집은 사전에 제작된 특별한 관찰기록 용지가 필요하다. 관찰기록 용지는 관찰 행동의 발생 여부, 출현 빈도, 행동의 지속성 등을 신속하게 부호화하여 표시할 수 있도록 고안되어야 한다.
• 참여 대상 유아의 행동을 유나 무로 부호화한다.

4) 행동목록법

행동목록법(체크리스트)은 특정 행동이 존재하는지 아닌지를 표시하는 기록 방법으로 관찰자의 주관적 평가를 가능한 배제하기 위해 사전에 유아 발달이나 행동 특성의 목록을 미리 작성한다.
행동목록은 일반적으로 주어진 상황에서 특정한 기술이나 행동의 출현 여부에 초점을 맞추어 목록이 작성된다. 여기서 '주어진 상황'과 '특정한 기술이나 행동'은 중요한 의미가 있다.

◎ 행동목록법을 위한 관찰 지침

- 문항은 관찰 가능한 행동을 기술한 것이어야 한다.(예 : 청결-식사 전 손씻기, 식사 후 양치질하기 등)
- 문항은 관찰 대상 행동을 모두 포괄하되 문항 간에 상호배타적이어야 한다.(중복성 ×)
- 관찰자가 행동관찰 결과를 보다 쉽게 기록할 수 있도록 체크리스트의 순서나 위치를 논리적으로 조직한다.
- 행동목록을 이용하여 얻어지는 자료의 질은 각 항목의 명료성 혹은 관찰자가 얼마나 정확하게 각 항목을 평가하느냐에 달려 있으므로 행동목록의 지침은 모호하지 않고 정확 명료하게 기록되어야 한다. 이를 통해 관찰자는 각 항목을 잘 이해할 수 있을 것이다.
- 모든 관찰 기록방법과 마찬가지로 관찰 기록지에 관찰자 이름, 참여 대상 이름, 연령, 성별 및 관찰일 등 관찰된 기록란이 반드시 필요하다.
- 행동목록은 특성이나 특징이 존재하는가 존재하지 않는가가 확실할 때만 사용되어야 한다.
- 행동목록은 관찰 대상이 되는 특성들이 분명하게 진술된 것을 선택해야 한다.
- 관찰은 행동목록에 있는 항목에 대해서만 이루어져야 한다.
- 한 번에 단 한 명의 유아를 대상으로 관찰이 이루어져야 하며, 각 유아에게 독립된 행동목록이 사용되어야 한다.

5) 평정척도법

평정척도는 관찰된 행동의 질적인 차이를 평가할 때 연속성이 있는 단계로 수량화된 점수나 가치가 부여된 기록지에 평정하는 것이다. 이것은 행동목록법에 질적 수준에 대한 정보를 첨가한 형태로 볼 수 있다.
행동목록법과의 차이점은 행동목록은 관찰 행동의 존재 유·무에만 관심을 두는 반면 평정척도는 행동의 존재 유·무와 존재하는 행동의 질적 특성이 어느 정도인지도 파악할 수 있다.

◎ 평정척도법을 위한 관찰 지침

평정척도는 관찰자 혹은 평정자가 상당히 정확하고 객관적으로 측정하는 훌륭한 도구의 역할을 할 경우 좋은 방법이 된다. 반면 관찰자는 관찰 결과에 대한 판단을 내리는 과정에 개인의 편견이 개입될 여지가 많으므로 관찰자, 혹은 평정자는 의식적으로 이 부분을 관리하지 않으면 안 된다. 관찰자 혹은 평정자의 전문성과 관련해서 평정자 오류를 줄이는 작업이 필요하다.

2단계 - 상담 준비하기

1. 발달척도 검사하기

⊙ 우리 어린이집이 영아 발달 척도 검사지를 계발하게 된 계기

어린이집은 유치원에 비해 영유아의 관찰 척도가 상대적으로 빈약하다. 어린이집이 만들어질 때 대 상 연령과 정부의 담당 부서가 다르고 이에 따라 방향성과 대상이 달라졌을 것이다. 그러나 지금은 누리과정을 통해 유치원과 어린이집간의 교육과정이나 제도적 차이가 많이 좁혀졌다.

그럼에도 영아에 대한 관찰 척도는 너무도 미숙하고 미흡한 수준이다. 영아기는 너무도 많은 변수와 다양한 성장의 폭발기에 있기에 예측하기에는 어려움이 있는 것은 사실이다. 그러나 교사는 발달의 발계를 이해하고 이의 최고점을 알고 예측하여 안내하는 길잡이가 되어야한다.

하지만 기존 영아발달척도라고 할 만한 뚜렷한 지표를 찾기 어려웠다. 이러한 판단으로 영아 발달척도를 만들기 시작하였다. 많은 가능성을 열어둔 상태에서 표준교육과정을 바탕으로 나름의 전문성을 살려 만든 영아 발달척도를 게재한다.

⊙ 우리 어린이집이 영아발달척도를 개발한 과정 및 소신

우리는 영아 교육에 있어 표준교육과정이 있기는 하나 양육자의 인식은 케어와 양육에 머물고 있다. 아니 어쩌면 많은 보육인의 인식도 이 같을지도 모른다. 우리 어린이집도 아파트 단지내 상담을 하러 오신 학부모님이 묻기도한다. “어머나 여기 유아도 있어요?” 5년째 접어든 어린이집이지만 안타깝게도 학부모들은 어린이집에 대해 잘 모른다. 그만큼 어린이집의 인식은 케어와 보육으로만 생각이 머물러, 어린이집이 아가들만 있는 곳으로 인식하고 있다. 어린이집도 올바른 교육과정에 따라 체계적인 지도를 하고 있다는 사실에 대해 잘 모르고 있다는 말이다.

어디서부터 이러한 인식이 자리잡혔던 걸까?

어린이집은 초창기 1920년도 이후 탁아소로 불렸으나 정부방침에 의해 70년부터 어린이집으로 이름이 바뀌게 되었으나 그 역사와 인식의 흐름 속에 의식이 바뀌기 어려웠다. 보육 사이를 어떻게 중재하고 시도해야 할 것인가도 고민해 보아야 할 것 같다.

예를 들어, 영아의 기저귀를 간다고 생각해보자! 양육자가 가는 기저귀 갈이나, 영아 교사가 가는 기저귀 갈

이가 같을까?
물론 결과론적으로 같을 수 있다. 그러나 우리는 선생님이라는 호칭을 듣는 전문가들이다. 기저귀를 갈아도 아이의 변색이 노란지, 푸른지, 묽은지, 딱딱한지, 냄새는 어떤지...등으로 아이의 건강 상태를 파악하여야 한다. 푸른변을 보았다면 양육자에게 알려 “우리 OO이가 푸른변을 보았습니다. 혹 어제 아이가 놀란 일이 있을까요?” 라고 물어 보아야 한다. 기저귀 발진이 있는지도 확인하여야 할 것이다. 발진의 상태와 위치를 파악하여 분석해 보고 처치를 고민해 보아야 할 것이다.
그것이 우리의 전문성이며 이 시대가 요구하는 교사이기 때문이다.
그렇다면 영아 보육에 있어 우리들이 알아야하는 중요 포인트와 교사의 철학은 무엇이 있을까?

2. 단계별 과정

첫째, 보육의 대상이 되는 영아를 분석

영아가 처음 들어와 어린이집에 적응하고 영아의 정서적요구와 신체적 요구를 파악하여 제공하고 반영하려면 아이에 대한 분석이 필요하기 때문이다.

둘째, 설계단계

정부지침서로 제공된 표준교육과정을 숙지하고 이를 토대로 목표를 설정하고 목록화하는 것이다.

셋째, 목록화한 부분을 개발

분석과 설계 단계를 거쳐 수립하는 단계로 교사의 노력과 열정이 함께 해야 할 것이다.

마지막, 실행과 평가

다음 소개되는 영유아 발달체크리스트는 우리 어린이집의 영아들을 분석해 보고 표준교육과정에 준하여 이를 토대로 개발하게 되었다.
우리 어린이집 영아교사(이OO)의 땀과 열정, 원장의 격려와 지지로 가능할 수 있었다. 이 소중한 프로그램을 공유하려는 이유는 위에서도 언급하였듯이 어린이집을 보는 인식의 새로 고침과 보육인으로서 반성적 사고, 영아 보육의 전문성을 공유하고 싶은 생각에서이다.

〈행동발달 체크리스트 표 양식〉

만2세 행동발달체크리스트			
반 명		영아명	
생년월일		기록자	

영역		행동특성	4월	6월	8월	10월	12월	2월
기본생활습관	건강하게 생활하기	스스로 손과 몸 씻기를 시도한다.						
		스스로 이 닦기를 시도한다.						
		음식을 골고루 먹는다.						
		도구를 사용하여 스스로 먹는다.						
		정해진 자리에서 먹는다.						
		일과에 따라 규칙적으로 잠을 잔다.						
		정해진 시간에 알맞게 휴식한다.						
		하루 일과에 즐겁게 참여한다.						
		화장실에서 배변한다.						
		질병의 위험을 안다.						
	안전하게 생활하기	놀이기구나 놀잇감을 안전하게 사용한다.						
		안전한 장소에서 놀이한다.						
		교통수단의 위험을 알고 조심한다.						
		위험한 상황과 위험한 것을 알고 조심한다.						
		위험한 상황 시 어른의 지시에 따른다.						
총점		45						
신체운동	감각과 신체 인식하기	다양한 감각적 차이에 반응한다.						
		감각기관으로 주변 환경을 탐색한다.						
		신체 각 부분의 명칭을 안다.						
		신체 각 부분의 움직임을 탐색한다.						
	신체조절과 기본운동 하기	안정된 자세를 취하려고 시도한다.						
		팔, 다리, 목, 허리 등 움직임을 조절한다.						
		눈과 손을 협응하여 소근육을 조절해본다.						
		걷기, 계단 오르기 등 이동운동을 한다.						
		제자리에서 몸을 움직여본다.						
	신체활동에 참여하기	신체활동에 자발적으로 참여해 본다.						
		규칙적으로 바깥에서 신체활동을 한다.						
		간단한 기구를 이용하여 신체활동을 한다.						
총점		36						

기본생활습관	**안전하게 생활하기**	놀이기구나 놀잇감을 안전하게 사용한다.						
		안전한 장소에서 놀이한다.						
		안전한 장소에서 놀이한다.						
		교통수단의 위험을 알고 조심한다.						
		위험한 상황과 위험한 것을 알고 조심한다.						
	총점	**45**						
신체운동	**감각과 신체 인식하기**	다양한 감각적 차이에 반응한다.						
		감각기관으로 주변 환경을 탐색한다.						
		신체 각 부분의 움직임을 탐색한다.						
	신체조절과 기본운동 하기	안정된 자세를 취하려고 시도한다.						
		팔, 다리, 목, 허리 등 움직임을 조절한다.						
		눈과 손을 협응하여 소근육을 조절해 본다.						
		걷기, 계단 오르기 등 이동운동을 한다.						
		제자리에서 몸을 움직여본다.						
	신체활동에 참여하기	팔, 다리, 목, 허리 등 움직임을 조절한다.						
		눈과 손을 협응하여 소근육을 조절해 본다.						
		걷기, 계단 오르기 등 이동운동을 한다.						
		제자리에서 몸을 움직여본다.						
	총점	**36**						
의사소통	**듣기**	친숙한 낱말의 발음에 관심을 가지고 듣는다.						
		다양한 말소리의 차이를 구분한다.						
		일상생활과 관련된 친숙한 낱말을 듣고 뜻을 이해한다.						
		친숙한 짧은 문장을 듣고 반응한다.						
		짧은 이야기와 노랫말 등을 즐겁게 듣는다.						
		말하는 사람의 표정, 몸짓, 억양 등을 주의 깊게 보고 듣는다.						
	말하기	친숙한 낱말을 발음해 본다.						
		일상생활에서 경험한 새로운 낱말에 관심을 가진다.						
		일상생활의 반복적인 일과 친숙한 상황을 한두 낱말이나 간단한 문장으로 말해 본다.						
		표정, 몸짓, 말소리로 의사표현을 한다.						
		자신이 원하는 것을 낱말이나 짧은 문장으로 말해 본다.						
		말 할 순서에 상대방을 바라보며 말을 주고받는다.						

의사소통	읽기	그림책과 환경 인쇄물에 있는 그림과 내용에 관심을 가진다.						
		친숙한 그림과 환경 인쇄물을 보고 읽는 흉내를 내본다.						
		선호하는 그림책들을 읽어주면 집중하여 듣는다.						
	쓰기	의도적으로 끼적인다.						
		자기 이름 끄적이기에 관심을 가진다.						
총점		51						
사회관계	나를 알고 존중하기	나와 다른 사람의 모습을 구별한다.						
		내가 좋아하는 것을 찾아본다.						
		스스로 선택한 놀이나 놀잇감을 즐긴다.						
	나와 다른 사람의 감정알기	여러 가지 감정을 말과 행동으로 나타낸다.						
		다른 사람이 나타내는 여러 가지 감정에 반응을 보인다.						
	더불어 생활하기	내 가족에게 다른 사람과는 구별된 특별한 감정을 갖는다.						
		또래의 모습과 행동을 모방한다.						
		또래가 있는 곳에서 놀이를 한다.						
		자신이 속한 반의 활동에 즐겁게 참여한다.						
		스스로 물건을 정리한다.						
		순서를 기다린다.						
		바른 태도로 인사한다.						
		간단한 약속을 지킨다.						
총점		39						

자연탐구	탐구하는 태도기르기	관심 있는 사물을 반복하여 주도적으로 탐색하기를 즐긴다						
		주변 사물과 자연 세계에 호기심을 가진다.						
	수학적 탐구하기	많고 적음을 구별한다.						
		세 개 가량의 구체물을 말하며 세어본다.						
		구체물을 일대일로 대응해본다.						
		나를 중심으로 익숙한 위치, 장소를 인식한다.						
		주변 사물의 모양에 관심을 가진다.						
		주변 사물의 크기(속성의 차이)에 관심을 가진다.						
		주변에서 단순하게 반복되는 규칙성에 관심을 가진다.						
		주변 사물의 같고 다름에 따라 구분한다.						
	과학적 탐구하기	친숙한 물체와 물질을 능동적으로 탐색한다.						
		주변 동식물의 모양, 소리, 움직임에 관심을 가진다.						
		돌, 물, 모래 등의 자연물을 탐색한다.						
		날씨를 감각으로 느낀다.						
		생활 속에서 간단한 도구에 관심을 가진다.						
		간단한 도구를 사용한다.						
총점		45						

예술경험	아름다움 찾아보기	주변 환경에서 나는 다양한 소리와 움직임을 탐색한다.						
		주변 환경에서 색, 모양을 탐색한다.						
	예술적 표현하기	친근한 노래를 따라 부른다.						
		신체, 사물, 리듬악기 등을 이용하여 간단한 리듬과 소리를 만든다.						
		노래나 리듬에 맞춰 몸으로 표현한다.						
		간단한 도구를 활용하여 몸으로 표현한다.						
		자발적으로 그리기, 만들기를 한다.						
		간단한 도구와 미술재료를 다룬다.						
		일상생활 경험을 상상놀이로 즐긴다.						
	예술 감상하기	자연이나 생활의 소리나 움직임, 친근한 음악과 춤을 관심 있게 듣거나 본다.						
		일상생활에서 자연과 사물의 아름다움에 관심을 가지고 즐긴다.						
		자신과 또래가 표현한 노래, 춤, 미술품 등에 관심을 가지고 즐긴다.						
총점		36						

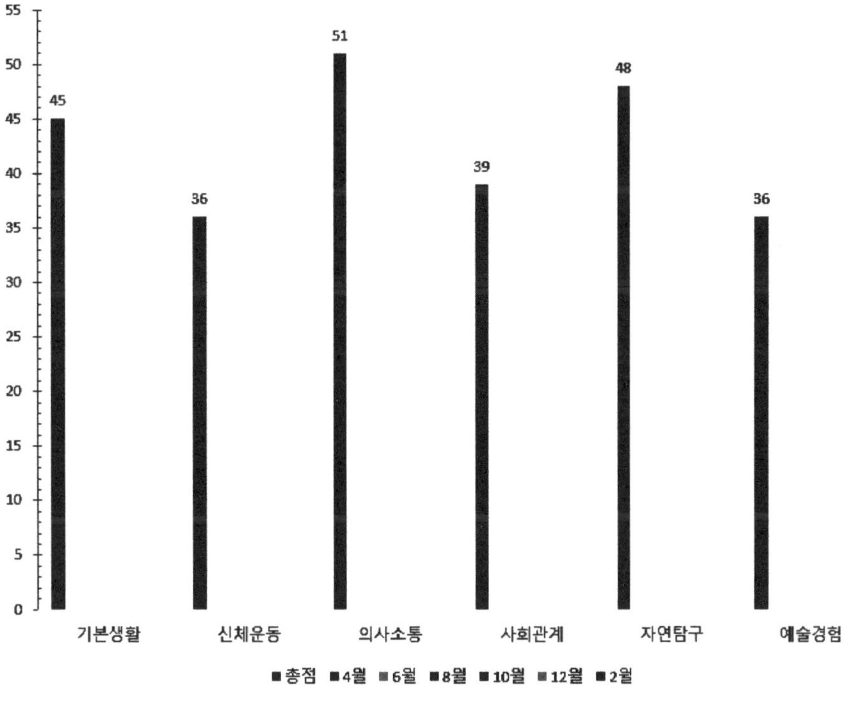

<② 개별 영아 행동 발달 체크가 모두 이루어지면 영아의 기본, 신체, 의사, 사회, 자연, 예술 등의 총점이 자동 계산>

영아관찰척도 점수 기록표			
영아 이름		**생년월일**	
성 별		**반 명**	

	총점	4월	6월	8월	10월	12월	2월
기본생활	45						
신체운동	36						
의사소통	51						
사회관계	39						
자연탐구	48						
예술경험	36						

<③ 영아의 기본, 신체, 의사, 사회, 자연, 예술등의 총점이 자동 계산과 동시에 이를 분석>

<④ 분석된 자료를 토대로 표준교육과정에 의한 5개 영역 결과가 자동으로 분석하여 해석>

1차 관찰결과 및 해석 내용			
반 명		**영아 이름**	

기본생활

신체운동

의사소통

< ⑤ 자동으로 분석하여 해석된 결과지 예시 >

2차 관찰결과 및 해석 내용			
반 명		**영아 이름**	

기본생활

1학기 때와 달리 스스로 손과 이닦기를 하려고 하는 모습을 보이고 있으나 아직도 세수를 하며 물이 머리에 묻는 것은 싫어하여 교사의 도움을 받지 않으면 눈과 입만 닦는다. 일과에 따라 규칙적으로 잠을 자나 일어나는 것을 힘들어한다. 위험한 것을 알고 상황에 따라 교사의 지시에 따른다.

신체운동

신체활동에 자발적으로 참여하며 즐기고 신체 각 부분의 명칭을 알고 있다. 부위별로 움직임을 조절할 수 있으며 눈과 손을 협응하여 소근육을 조절할 수 있다. 근래에는 도움을 받지 않고 스스로 외발로 균형잡기놀이에 관심을 보이고 있다.

의사소통

일상생활과 관련된 친숙한 낱말을 듣고 뜻을 이해하고 짧은 이야기와 노랫말 등을 즐겁게 듣고 따라 부른다. 자신이 원하는 것을 짧은 단어와 몸짓 표정으로 길게 이야기하려고 한다. 그림책과 인쇄물에 있는 그림과 내용에 관심을 갖고 끄적이기를 즐긴다.

사회관계

내가 좋아하는 것을 스스로 찾아보고 스스로 선택한 놀잇감을 즐길 수 있다. 내 가족에게 다른 사람과는 구별되는 특별한 감정을 갖고 애정을 표현한다. 자신이 속한 반과 교사를 일고 자신이 속한 반의 활동에 즐겁게 참여한다.

예술경험

친근한 노래는 반복적으로 흥얼거리고 리듬악기나 몸으로 표현할 수 있다. 간단한 도구와 미술재료에 호기심이 많고 바른 사용법은 아직 익숙하지 않으나 스스로 해보려고 시도하고 스스로 되지 않는 부분은 교사에게 도움을 청하여 함께 해보려고 한다.

자연탐구

관심 있는 사물을 반복적으로 탐색하기를 즐기며 많고 적음을 구별할 수 있다. 수세기는 1~5의 개수을 알고 있으나 그 뒤로부터는 알고 있는 수의 단어를 사용하여 자유롭게 표현한다. 주변 사물의 같고 다름을 알고 있으며 날씨를 감각적으로 느끼고 표현할 수 있다.

<행동발달 체크리스트 적용 사례 1>

만2세 행동발달체크리스트			
반 명	참누리반	영아명	강OO
생년월일	2017.○.○	기록자	구OO

영 역		행 동 특 성	4월	6월	8월	10월	12월	2월
기본생활습관	건강하게 생활하기	스스로 손과 몸 씻기를 시도한다.		1	1	2		
		스스로 이 닦기를 시도한다.		1	2	1		
		음식을 골고루 먹는다.		1	1	1		
		도구를 사용하여 스스로 먹는다.		2	2	1		
		정해진 자리에서 먹는다.		0	0	1		
		일과에 따라 규칙적으로 잠을 잔다.		1	0	0		
		정해진 시간에 알맞게 휴식한다.		1	1	0		
		하루 일과에 즐겁게 참여한다.		1	2	1		
		화장실에서 배변한다.		2	2	3		
		질병의 위험을 안다.		1	1	2		
	안전하게 생활하기	놀이기구나 놀잇감을 안전하게 사용한다.		0	0	0		
		안전한 장소에서 놀이한다.		0	0	0		
		교통수단의 위험을 알고 조심한다.		0	0	0		
		위험한 상황과 위험한 것을 알고 조심한다.		0	0	1		
		위험한 상황 시 어른의 지시에 따른다.		1	1	1		
총점		45		12	13	14	0	0
신체운동	감각과 신체 인식하기	다양한 감각적 차이에 반응한다.		1	2	2		
		감각기관으로 주변 환경을 탐색한다.		1	1	2		
		신체 각 부분의 명칭을 안다.		1	2	2		
		신체 각 부분의 움직임을 탐색한다.		2	1	2		
	신체조절과 기본운동 하기	안정된 자세를 취하려고 시도한다.		0	0	0		
		팔, 다리, 목, 허리 등 움직임을 조절한다.		1	1	1		
		눈과 손을 협응하여 소근육을 조절해본다.		1	2	3		
		걷기, 계단 오르기 등 이동운동을 한다.		2	2	3		
		제자리에서 몸을 움직여본다.		1	2	2		
	신체활동에 참여하기	신체활동에 자발적으로 참여해 본다.		0	1	1		
		규칙적으로 바깥에서 신체활동을 한다.		1	1	1		
		간단한 기구를 이용하여 신체활동을 한다.		1	2	1		
총점		36		12	17	20	0	0

의사소통	듣기	친숙한 낱말의 발음에 관심을 가지고 듣는다.		2	2	1		
		다양한 말소리의 차이를 구분한다.		1	1	1		
		일상생활과 관련된 친숙한 낱말을 듣고 뜻을 이해한다.		1	1	2		
		친숙한 짧은 문장을 듣고 반응한다.		1	1	1		
		짧은 이야기와 노랫말 등을 즐겁게 듣는다.		1	1	1		
		말하는 사람의 표정, 몸짓, 억양 등을 주의 깊게 보고 듣는다.		1	1	1		
	말하기	친숙한 낱말을 발음해 본다.		2	2	2		
		일상생활에서 경험한 새로운 낱말에 관심을 가진다.		1	2	3		
		일상생활의 반복적인 일이나 친숙한 상황을 한 두 낱말이나 간단한 문장으로 말해본다.		2	2	3		
		표정, 몸짓, 말소리로 의사표현을 한다.		2	2	3		
		자신이 원하는 것을 낱말이나 짧은 문장으로 말해본다.		2	2	3		
		말 할 순서에 상대방을 바라보며 말을 주고받는다.		1	1	1		
	읽기	그림책과 환경 인쇄물에 있는 그림과 내용에 관심을 가진다.		1	2	3		
		친숙한 그림과 환경 인쇄물을 보고 읽는 흉내를 내본다.		1	1	2		
		선호하는 그림책들을 읽어주면 집중하여 듣는다.		2	2	3		
	쓰기	의도적으로 끄적인다.		1	2	2		
		자기 이름 끄적이기에 관심을 가진다.		0	0	0		
총점		**51**		**22**	**25**	**32**	**0**	**0**
사회관계	나를 알고 존중하기	나와 다른 사람의 모습을 구별한다.		2	2	2		
		내가 좋아하는 것을 찾아본다.		1	1	2		
		스스로 선택한 놀이나 놀잇감을 즐긴다.		1	1	2		
	나와 다른 사람의 감정알기	여러 가지 감정을 말과 행동으로 나타낸다.		1	2	2		
		다른 사람이 나타내는 여러 가지 감정에 반응을 보인다.		1	1	1		
	더불어 생활하기	내 가족에게 다른 사람과는 구별된 특별한 감정을 갖는다.		1	1	1		
		또래의 모습과 행동을 모방한다.		0	0	1		
		또래가 있는 곳에서 놀이를 한다.		0	0	0		
		자신이 속한 반의 활동에 즐겁게 참여한다.		0	0	0		
		스스로 물건을 정리한다.		0	0	0		
		순서를 기다린다.		0	0	0		
		바른 태도로 인사한다.		1	1	1		
		간단한 약속을 지킨다.		0	0	0		
총점		**39**		**8**	**9**	**12**	**0**	**0**

자연탐구	탐구하는 태도기르기	관심 있는 사물을 반복하여 주도적으로 탐색하기를 즐긴다.		1	1	1		
		주변 사물과 자연 세계에 호기심을 가진다.		1	1	2		
	수학적 탐구하기	많고 적음을 구별한다.		1	2	2		
		세 개 가량의 구체물을 말하며 세어본다.		0	2	3		
		구체물을 일대일로 대응해본다.		0	1	1		
		나를 중심으로 익숙한 위치, 장소를 인식한다.		1	2	2		
		주변 사물의 모양에 관심을 가진다.		0	1	1		
		주변 사물의 크기(속성의 차이)에 관심을 가진다.		1	1	1		
		주변에서 단순하게 반복되는 규칙성에 관심을 가진다.		0	0	1		
		주변 사물의 같고 다름에 따라 구분한다.		1	2	2		
	과학적 탐구하기	친숙한 물체와 물질을 능동적으로 탐색한다.		1	2	3		
		주변 동식물의 모양, 소리, 움직임에 관심을 가진다.		1	1	2		
		돌, 물, 모래 등의 자연물을 탐색한다.		1	2	2		
		날씨를 감각으로 느낀다.		1	1	2		
		생활 속에서 간단한 도구에 관심을 가진다.		1	1	1		
		간단한 도구를 사용한다.		2	2	2		
총점		**48**		**13**	**22**	**28**	**0**	**0**
예술경험	아름다움 찾아보기	주변 환경에서 나는 다양한 소리와 움직임을 탐색한다.		1	1	1		
		주변 환경에서 색, 모양을 탐색한다.		1	1	2		
	예술적 표현하기	친근한 노래를 따라 부른다.		0	0	0		
		신체, 사물, 리듬악기 등을 이용하여 간단한 리듬과 소리를 만든다.		1	1	1		
		노래나 리듬에 맞춰 몸으로 표현한다.		0	0	0		
		간단한 도구를 활용하여 몸으로 표현한다.		0	1	0		
		자발적으로 그리기, 만들기를 한다.		1	2	3		
		간단한 도구와 미술재료를 다룬다.		2	2	3		
		일상생활 경험을 상상놀이로 즐긴다.		2	2	2		
	예술 감상하기	자연이나 생활의 소리나 움직임, 친근한 음악과 춤을 관심 있게 듣거나 본다.		1	1	1		
		일상생활에서 자연과 사물의 아름다움에 관심을 가지고 즐긴다.		1	1	1		
		자신과 또래가 표현한 노래, 춤, 미술품 등에 관심을 가지고 즐긴다.		1	2	1		
총점		**36**		**11**	**14**	**15**		

1차 관찰결과 및 해석 내용			
반명	참누리반	**영아 이름**	강OO

기본생활

스스로 손과 몸을 닦을 수 있으며 이닦기를 시도하나 도움이 필요하다. 정해진 자리에서 음식을 먹지 않으며 음식을 먹을 때 도구를 사용하여 먹기도 하나 가끔은 손으로 먹는 모습을 보인다. 하루일과에 즐겁게 참여하나 낮잠은 자려고 하지 않는 모습을 보인다. 특히 위험한 놀이를 좋아하며 놀잇감을 위험하게 다루기도 한다.

신체운동

소수의 인원이 있을시에만 신체활동에 자발적으로 참여한다. 감각기관으로 주변환경을 탐색하기보다는 무조건 꺼내거나 만져보려고 한다. 안정된 자세를 알고는 있지만 불안정한 자세로 위험함을 표현하며 교사의 시선 집중을 받으려는 모습을 보인다. 제자리에서 몸을 움직이지 못하고 답답해한다.

의사소통

자신이 원하는 것을 긴 문장으로 표정, 몸짓, 말소리로 의사표현을 하지만 상대방의 말은 들으려고 하지 않고 자신의 말만 한다. 선호하는 그림책만을 보며 읽어주면 집중하며 듣지만 집중력은 짧은 편이어서 좋아하는 그림의 페이지만 읽어주기를 바란다.

사회관계

나와 다른 사람의 모습을 구별 할 수 있으며 좋아하는 놀잇감을 선택하여 놀이한다. 친구들에 관심이 없고 교사와의 놀이에만 관심을 갖지만 친구들이 놀이하는 모습은 가끔씩 오랫동안 바라보는 모습을 보인다.

예술경험

자발적으로 그림 그리기, 만들기 활동을 좋아하며 간단한 도구와 미술재료를 사용할 수 있다. 일상생활 경험을 상상놀이로 즐기기는 하지만 위험한 행동을 보여 교사의 개입이 잦은 편이다. 동요 및 자장가 음악소리는 좋아하지만 반면에 청소기, 천둥번개, 안내방송 소리에는 민감한 반응을 보이며 무서워하기도한다.

자연탐구

많고 적음을 구별할 수 있으나 수세기에는 관심을 보이지 않고 따라 하려고 하지도 않는다. 자연물의 호기심은 있으나 식물일 경우에는 발로 먼저 밟아 보려고 하거나, 곤충일 경우에는 멀리서 관찰하는 모습을 보인다.

2차 관찰결과 및 해석 내용			
반명	참누리반	**영아 이름**	강OO

기본생활

스스로 이닦기를 할 수 있으나 하려고 하지 않는다. 정해진 자리에서 음식을 먹지 않으며 음식을 먹을 때 도구를 사용하여 먹기도 하나 가끔은 손으로 음식을 먹는 모습을 보인다. 하루일과에 즐겁게 참여하나 낮잠은 자려고 하지 않는 모습을 보인다. 특히 위험한 놀이를 좋아하며 놀잇감도 위험하게 다루는 모습을 보인다.

신체운동

교사와 단둘이 있을시에는 신체활동에 자발적으로 참여하고 또래들이 함께 있을 때에는 참여하려고 하지 않는다. 감각기관으로 주변환경을 탐색하기보다는 무조건 꺼내거나 만져보려고 한다. 안정된 자세를 알고는 있지만 불안정한 자세로 위험함을 표현하며 교사의 시선 집중을 받으려는 모습을 보인다. 제자리에서 몸을 움직이지 못하고 답답해한다.

의사소통

자신이 원하는 것은 긴 문장으로 표정, 몸짓, 말소리로 의사표현을 하지만 상대방의 말은 들으려고 하지 않는다. 선호하는 그림책을 반복적으로 집중하며 본다. 의도적으로 끄적이기를 좋아하며 친숙한 인쇄물을 보면 흉내를 낸다.

사회관계

나와 다른 사람의 모습을 구별할 수 있으며 좋아하는 놀잇감을 선택하여 놀이한다. 친구들에게 관심이 없고 교사와의 놀이에만 관심을 갖는다. 친구들이 놀이하는 모습을 가끔씩 바라보고 있기도 하지만 다가가지는 않는다.

예술경험

자발적으로 그림 그리기와 가위놀이 활동을 좋아하며 간단한 도구와 미술재료를 사용할 수 있다. 반면에 완성된 자신의 작품에는 관심이 없다. 일상생활 경험을 상상놀이로 즐기기는 하지만 위험한 행동을 보여 교사의 개입이 잦은 편이다.

자연탐구

관심있는 사물을 반복하여 주도적으로 탐색하기를 즐기며 많고 적음을 구별할 수 있다. 요즈음에 수세기에는 관심을 조금씩 보이고 있으나 정확한 수의 개념이 아닌 알고 있는 단어를 자유롭게 이야기 하는 모습이다. 날씨를 감각적으로 느끼고 주변 사물의 같고 다름을 구분할 수 있다.

영아관찰척도 점수 기록표			
성별	남	**반명**	참누리반

	총점	4월	6월	8월	10월	12월	2월
기본생활			12	13	14		
신체운동			12	17	20		
의사소통			22	25	32		
사회관계			8	9	12		
자연탐구			12	22	28		
예술경험			11	14	15		

그래프

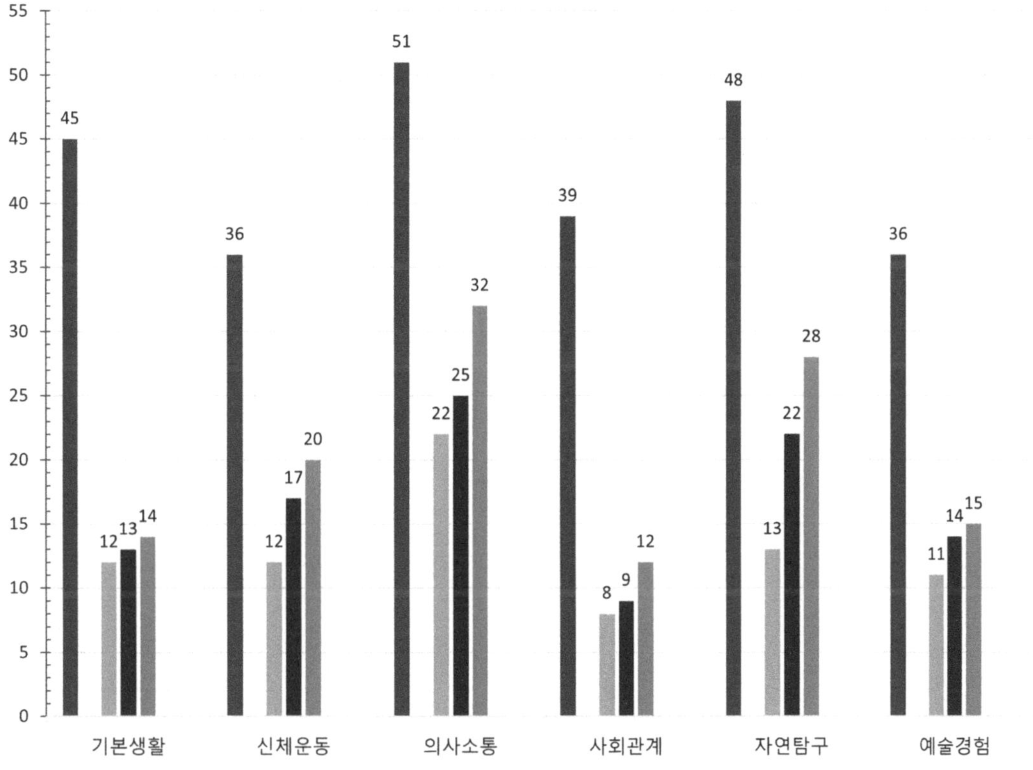

<행동발달 체크리스트 적용 사례 2>

만2세 행동발달체크리스트			
반 명	참누리반	**영아명**	김○○
생년월일	2017.○.○	**기록자**	구○○

영 역		행 동 특 성	4월	6월	8월	10월	12월	2월
기본생활습관	건강하게 생활하기	스스로 손과 몸 씻기를 시도한다.		1	2	2		
		스스로 이 닦기를 시도한다.		1	2	2		
		음식을 골고루 먹는다.		0	2	3		
		도구를 사용하여 스스로 먹는다.		1	2	3		
		정해진 자리에서 먹는다.		1	2	3		
		일과에 따라 규칙적으로 잠을 잔다.		1	1	1		
		정해진 시간에 알맞게 휴식한다.		1	1	1		
		하루 일과에 즐겁게 참여한다.		1	1	1		
		화장실에서 배변한다.		2	2	2		
		질병의 위험을 안다.		2	2	2		
	안전하게 생활하기	놀이기구나 놀잇감을 안전하게 사용한다.		2	2	2		
		안전한 장소에서 놀이한다.		2	2	2		
		교통수단의 위험을 알고 조심한다.		2	2	2		
		위험한 상황과 위험한 것을 알고 조심한다.		0	0	1		
		위험한 상황 시 어른의 지시에 따른다.		2	2	2		
총점		**45**		**0**	**22**	**28**	**31**	**0**
신체운동	감각과 신체 인식하기	다양한 감각적 차이에 반응한다.		2	2	2		
		감각기관으로 주변 환경을 탐색한다.		1	2	2		
		신체 각 부분의 명칭을 안다.		2	2	2		
		신체 각 부분의 움직임을 탐색한다.		2	2	2		
	신체조절과 기본운동 하기	안정된 자세를 취하려고 시도한다.		2	2	2		
		팔, 다리, 목, 허리 등 움직임을 조절한다.		2	2	2		
		눈과 손을 협응하여 소근육을 조절해본다.		2	2	3		
		걷기, 계단 오르기 등 이동운동을 한다.		3	2	3		
		제자리에서 몸을 움직여본다.		2	2	2		
	신체활동에 참여하기	신체활동에 자발적으로 참여해 본다.		1	2	3		
		규칙적으로 바깥에서 신체활동을 한다.		1	2	3		
		간단한 기구를 이용하여 신체활동을 한다.		1	2	3		
총점		**36**		**0**	**21**	**24**	**30**	**0**

의사소통	듣기	친숙한 낱말의 발음에 관심을 가지고 듣는다.		2	2	2		
		다양한 말소리의 차이를 구분한다.		2	2	3		
		일상생활과 관련된 친숙한 낱말을 듣고 뜻을 이해한다.		2	2	3		
		친숙한 짧은 문장을 듣고 반응한다.		2	2	2		
		짧은 이야기와 노랫말 등을 즐겁게 듣는다.		2	2	2		
		말하는 사람의 표정, 몸짓, 억양 등을 주의 깊게 보고 듣는다.		2	2	2		
	말하기	친숙한 낱말을 발음해 본다.		2	2	3		
		일상생활에서 경험한 새로운 낱말에 관심을 가진다.		2	2	3		
		일상생활의 반복적인 일이나 친숙한 상황을 한 두 낱말이나 간단한 문장으로 말해본다.		2	2	3		
		표정, 몸짓, 말소리로 의사표현을 한다.		2	2	3		
		자신이 원하는 것을 낱말이나 짧은 문장으로 말해본다.		2	2	3		
		말 할 순서에 상대방을 바라보며 말을 주고받는다.		1	2	2		
	읽기	그림책과 환경 인쇄물에 있는 그림과 내용에 관심을 가진다.		1	2	3		
		친숙한 그림과 환경 인쇄물을 보고 읽는 흉내를 내본다.		1	1	2		
		선호하는 그림책들을 읽어주면 집중하여 듣는다.		1	2	3		
	쓰기	의도적으로 끄적인다.		1	2	3		
		자기 이름 끄적이기에 관심을 가진다.		0	0	1		
총점		51	0	7	31	42	0	0
사회관계	나를 알고 존중하기	나와 다른 사람의 모습을 구별한다.		2	2	2		
		내가 좋아하는 것을 찾아본다.		2	2	3		
		스스로 선택한 놀이나 놀잇감을 즐긴다.		2	2	2		
	나와 다른 사람의 감정알기	여러 가지 감정을 말과 행동으로 나타낸다.		1	1	3		
		다른 사람이 나타내는 여러 가지 감정에 반응을 보인다.		1	2	2		
	더불어 생활하기	내 가족에게 다른 사람과는 구별된 특별한 감정을 갖는다.		1	1	3		
		또래의 모습과 행동을 모방한다.		1	2	3		
		또래가 있는 곳에서 놀이를 한다.		1	2	3		
		자신이 속한 반의 활동에 즐겁게 참여한다.		2	2	3		
		스스로 물건을 정리한다.		1	1	1		
		순서를 기다린다.		1	1	2		
		바른 태도로 인사한다.		1	1	1		
		간단한 약속을 지킨다.		1	2	2		
총점		39	0	19	22	28	0	0

자연탐구	탐구하는 태도기르기	관심 있는 사물을 반복하여 주도적으로 탐색하기를 즐긴다.		1	2	2		
		주변 사물과 자연 세계에 호기심을 가진다.		2	2	2		
	수학적 탐구하기	많고 적음을 구별한다.		2	2	3		
		세 개 가량의 구체물을 말하며 세어본다.		1	2	3		
		구체물을 일대일로 대응해본다.		1	1	2		
		나를 중심으로 익숙한 위치, 장소를 인식한다.		2	2	3		
		주변 사물의 모양에 관심을 가진다.		1	2	3		
		주변 사물의 크기(속성의 차이)에 관심을 가진다.		1	2	2		
		주변에서 단순하게 반복되는 규칙성에 관심을 가진다.		1	1	2		
		주변 사물의 같고 다름에 따라 구분한다.		2	2	2		
	과학적 탐구하기	친숙한 물체와 물질을 능동적으로 탐색한다.		1	2	2		
		주변 동식물의 모양, 소리, 움직임에 관심을 가진다.		1	2	3		
		돌, 물, 모래 등의 자연물을 탐색한다.		1	1	2		
		날씨를 감각으로 느낀다.		1	1	2		
		생활 속에서 간단한 도구에 관심을 가진다.		1	1	1		
		간단한 도구를 사용한다.		1	1	2		
총점		**48**		**21**	**26**	**37**	**0**	**0**
예술경험	아름다움 찾아보기	주변 환경에서 나는 다양한 소리와 움직임을 탐색한다.		2	2	2		
		주변 환경에서 색, 모양을 탐색한다.		1	1	2		
	예술적 표현하기	친근한 노래를 따라 부른다.		2	2	3		
		신체, 사물, 리듬악기 등을 이용하여 간단한 리듬과 소리를 만든다.		2	2	3		
		노래나 리듬에 맞춰 몸으로 표현한다.		1	2	3		
		간단한 도구를 활용하여 몸으로 표현한다.		1	2	2		
		자발적으로 그리기, 만들기를 한다.		2	2	3		
		간단한 도구와 미술재료를 다룬다.		1	1	2		
		일상생활 경험을 상상놀이로 즐긴다.		1	1	2		
	예술 감상하기	자연이나 생활의 소리나 움직임, 친근한 음악과 춤을 관심 있게 듣거나 본다.		1	1	2		
		일상생활에서 자연과 사물의 아름다움에 관심을 가지고 즐긴다.		1	2	2		
		자신과 또래가 표현한 노래, 춤, 미술품 등에 관심을 가지고 즐긴다.		1	2	2		
총점		**36**		**17**	**20**	**29**	**0**	**0**

1차 관찰결과 및 해석 내용			
반명	참누리반	**영아 이름**	김OO

기본생활

스스로 몸 씻기를 시도하고 이닦이를 즐기나 배변활동을 잘 하기보다 참는편이다. 정해진 자리에서 먹지만 음식물을 입에 물고 있는 습관이 있으며, 편식이 있어 식사시간에 또래들에 비해 오래앉아 있는 편이다. 정해진 자리에서 낮잠을 자고 휴식을 취할 수 있다.

신체운동

신체 각 부분의 명칭을 알고 안정된 자세를 취하려고 시도한다. 대근육활동보다는 소근육 활동을 즐기지만 또래들과의 신체활동에는 자발적으로 참여한다.

의사소통

일상생활과 관련된 친숙한 낱말을 듣고 뜻을 이해할 수 있으며 자신의 감정을 짧은 문장으로 표현할 수 있다. 선호하는 그림책을 읽어주면 집중하며 듣지만 원하는 내용이 아니면 책을 덮고 다른책을 선호하는 반복활동 모습을 보인다.

사회관계

나와 다른 사람을 구별할 수 있으며 나의 여러 가지 감정을 말과 행동으로 나타낸다. 반면에 다른 사람이 나타내는 여러 가지 감정에 반응을 보이기는 하지만 자기 중심적이어서 받아들이려고 하지 않는다. 또래에 관심이 있고 교사와 또래의 모습을 모방하는 모습을 볼 수 있다.

예술경험

친근한 노래를 따라 부르기를 좋아하며, 노래나 리듬에 맞춰 몸으로 또는 간단한 도구를 사용하며 리듬과 소리를 만들며 즐길 수 있다. 미술재료 다루기는 아직 미숙함이 있지만 자발적으로 색칠하거나 만들기를 할 수 있으며, 완성된 작품에서는 꼼꼼함이 나타나있고, 스스로의 작품에 성취감을 느끼며 즐길 수 있다.

자연탐구

관심있는 사물을 반복하여 주도적으로 탐색하기를 즐기며 수량의 많고 적음을 알고 있다. 수세기는 여섯 개가량의 구체물을 말하며 세어보기를 시도하고 있다.

1차 관찰결과 및 해석 내용			
반명	참누리반	**영아 이름**	김OO

기본생활

시간이 지날수록 원에서의 기본생활이 익숙해지고 있지만, 배변활동은 참는 편으로 관찰된다. 정해진 자리에서 먹지만 바르지 못한 자세로 앉아 있고 음식물을 입에 물고 있는 습관이 있으나 1학기 때와 달리 골고루 먹으려고 한다. 정해진 자리에서 낮잠을 자고 휴식을 취할 수 있으나 또래들에 비해 잠드는 시간이 늦고 늦게 잠들어 일어나기 힘들어한다.

신체운동

신체 각 부분의 명칭을 알고 안정된 자세를 취하려고 한다. 1학기 때와 달리 2학기에 들어서는 대근육활동을 즐기고 위험함을 인지하고 있으나 호기심에 위험한 행동을 해보려는 모습을 가끔씩 보이고 있다.

의사소통

일상생활과 관련된 친숙한 낱말을 듣고 뜻을 이해할 수 있으며 자신의 감정을 긴 문장으로 표현할 수 있다. 선호하는 그림책을 읽어주면 집중하며 듣지만 원하는 내용이 아니면 책을 덮고 다른 책을 선호하는 반복활동 모습을 보인다.

사회관계

나와 다른 사람을 구별할 수 있으며 나의 여러 가지 감정을 말과 행동으로 나타낸다. 반면에 다른 사람이 나타내는 여러 가지 감정에 반응을 보이기는 하지만 자기중심적이어서 받아드리려 하지 않는다. 또래에 관심이 있고 교사와 또래의 모습을 모방하는 모습을 볼 수 있다.

예술경험

친근한 노래를 따라 부르기를 좋아하며, 노래나 리듬에 맞춰 몸으로 또는 간단한 도구를 사용하며 리듬과 소리를 만들며 즐길 수 있다. 미술재료 다루기는 아직 미숙함이 있지만 자발적으로 색칠하거나 만들기를 할 수 있으며, 완성된 작품에서는 꼼꼼함이 나타나있고, 스스로의 작품에 성취감을 느끼며 즐길 수 있다.

자연탐구

관심있는 사물을 반복하여 주도적으로 탐색하기를 즐기며 수량의 많고 적음을 알고 있다. 수세기는 열 개 가량의 구체물을 말하며 세어보기를 시도하고 있다. 나를 중심으로 익숙한 위치와 장소를 인식하고 생활 속에서 간단한 도구에 관심을 갖고 사용할 수 있다.

영아관찰척도 점수 기록표			
성별	남	**반명**	참누리반

	총점	4월	6월	8월	10월	12월	2월
기본생활	45		22	28	31		
신체운동	36		21	24	30		
의사소통	51		27	31	41		
사회관계	39		19	22	28		
자연탐구	48		21	26	37		
예술경험	36		17	20	29		

그래프

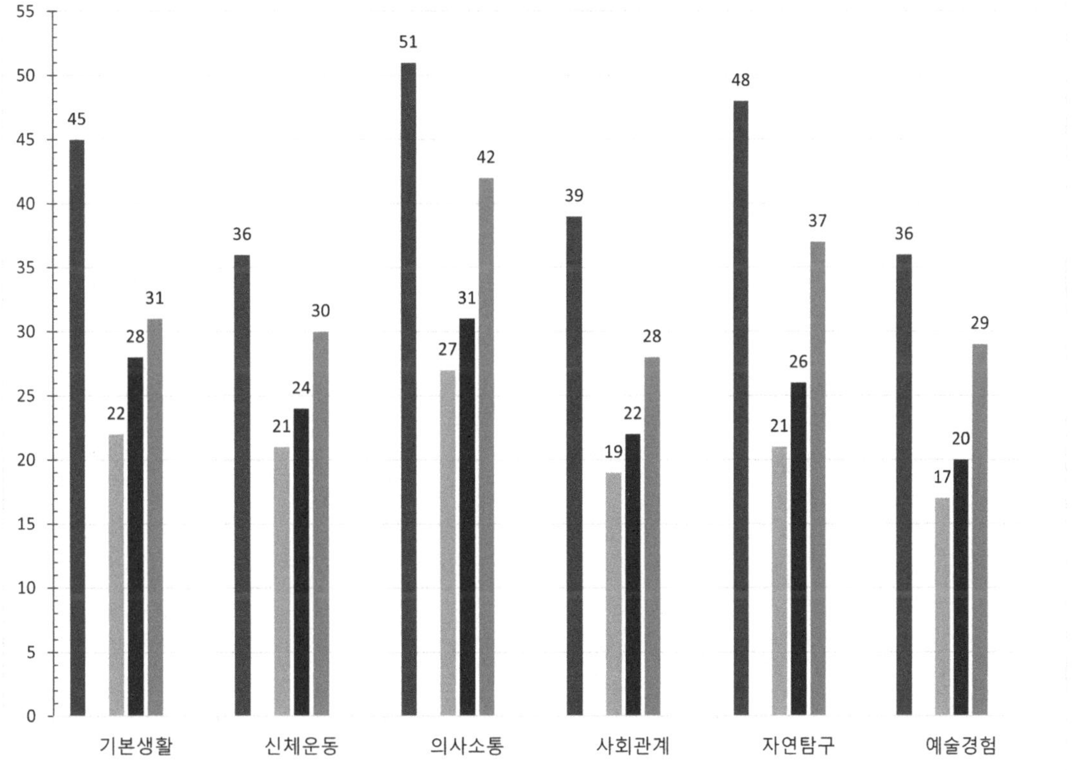

〈유아 발달 척도 소개〉

- 유아 발달 척도 또한 영아발달 척도와 동일한 순으로 이뤄지고 있다.

① 개별 발달체크리스트에 유아 행동 발달을 체크 한다.

② 개별 영아행동발달 체크가 모두 이루어 지면 유아의 기본, 신체, 의사, 사회, 자연, 예술 등의 총점이 자동 계산

③ 유아의 기본, 신체, 의사, 사회, 자연, 예술 등의 총점이 자동 계산과 동시에 이를 분석

④ 분석된 자료를 토대로 표준교육과정에 의한 5개 영역 결과가 자동으로 분석하여 해석

◎ 영유아 발달척도를 실행 후의 변화

교사들의 만족도나 전문성 향상에 도움이되었을까?

물론이다. 학부모 상담 시 맨손상담이 없어졌다. 예전에는 교사의 주관적 관찰로 상담이 이루어졌다. 영유아 발달척도 실행 후 지금은 원아의 객관적 평가와 한눈에 알 수 있는 발달척도와 근거로 어린이집에 대한 신뢰가 높아졌다.

또 상담시 우리의 주관적 판단을 객관화하기 위한 자료들, 예를 들어 포트폴리오나 사전 준비가 간소화 되었다. 교사에게 불필요한 잔무가 줄어든 긍정적 효과도 있다.

학부모 상담 일지

2021년 1학기

<table>
<tr><td>상담일시</td><td></td><td>상담교사</td><td></td></tr>
<tr><td>영유아 이름</td><td></td><td>생년월일</td><td></td></tr>
<tr><td>상담 참여자</td><td></td><td>상담 형태</td><td>방문 (　　) 전화 (　　)</td></tr>
<tr><td>구 분</td><td colspan="2">부모 의견</td><td>교사 의견</td></tr>
<tr><td>자녀 양육과 관련된 학부모님의 바람이 있다면 무엇인가요?</td><td colspan="2"></td><td></td></tr>
<tr><td>자녀 양육과 관련된 학부모님의 고민은 무엇인가요?</td><td colspan="2"></td><td></td></tr>
<tr><td>가정에서의 식습관 및 생활습관은 어떠한가요?</td><td colspan="2"></td><td></td></tr>
<tr><td>우리 아이가 가장 잘하는 것과 부족하다고 생각하는 것은 무엇인가요?</td><td colspan="2"></td><td></td></tr>
</table>

우리 아이의 발달에 대해 알고 싶은 한 가지는 무엇인가요?		
어린이집에 바라는 점이나 건의사항이 있으시면 적어주세요.		
종합의견		

학부모 상담 일지

2021년 1학기

상담일시		상담교사	
영유아 이름		생년월일	
상담 참여자		상담 형태	방문 (　　) 전화 (　　)
구 분	부모 의견		교사 의견
우리 아이의 건강 및 생활습관은 어떤가요?			
우리 아이의 언어습관은 어떤가요?			
우리 아이의 신체 및 행동특성은 어떤가요?			
우리 아이의 또래관계 및 놀이는 어떤가요?			
상담하기를 원하는 내용은 무엇인가요?			
어린이집에 바라시거나 건의사항이 있으시면 적어주세요.			
종합의견			

(   )학기 학부모 상담 안내문

부모님, 사랑합니다.
영유아기는 인생의 기초를 세우는 결정적 시기입니다. 그러나 팬데믹 상황으로 언어, 신체, 인지, 사회, 정서적인 측면에서 아이들의 발달에 적신호가 켜지고 있습니다.
'이 시기에 아이들은 얼마큼 그리고 어떻게 자랄까요?', '잘 자라기 위해 어떤 도움을 주어야 할까요?' 2학기 학부모 상담을 통해 함께 우리 아이의 발달 상황에 대해 분석해 보며, 우리 아이의 건강한 성장에 도움이 되는 귀한 시간이 되길 바랍니다.

상담 일정 : 20 년 월 일(월) ~ 12월 3일(금)
상담 시간 : 약 20분씩 개별로 진행
상담 주제 : 우리 아이 잘 자라고 있나요?
상담 준비 : ① 2학기 학부모 상담은 부모님이 일상에서 관찰한 자녀 발달 상태를 토대로 이루어집니다. 첨부해 드리는 <우리 아이 발달 검사> 체크 리스트를 완료하셔서 11월 3일(수요일)까지 원으로 보내주세요.
② 아래의 상담 가능 일정표는 11월 3일(수)까지 보내주세요.

아래의 상담 일정표를 확인하시고,
참여 가능한 날짜에 모두 표기하여 원으로 보내주세요.
날짜 확정 후 개별 안내 드리겠습니다.

반 이름:

---

1) 상담 방식 선택
① 대면 상담 (   ) ② 전화 상담 (   ) ③ Zoom 상담 (   )

대면상담은 코로나 2차 접종 후 2주가 지난 학부모님만이 가능 함을 양해 부탁드립니다.
전화상담의 경우, 14시부터 이루어집니다.
사회적 거리두기로 상담 후 소독이 진행되므로, 상담시간에 맞춰 방문해 주시기 바랍니다.

2) 상담 가능 일정
부모님의 상담은 월 일 요일 시 분입니다.

OO어린이집

3. 반기별 상담

1) 상반기 상담 체크 포인트

① 신입원아 부모님의 기대감을 공감하고 적극적으로 표현해야 한다.

- 학부모님과 나눌 첫 인사나 대화를 준비하였는가?
- 가정에서의 일상이나 이전 경험에 대한 질문을 목록화하였는가?
- 자녀의 교육과정을 미래지향적으로 설명할 수 있는가?
- 부모의 의견에 대해 교사는 진정성이 느껴지도록 소통하는가?

② 가정교육의 중요성과 가정 간 연계에 대한 안내할 수 있어야 한다.

- 부모님의 교육관과 양육태도에 대해 상담으로 소통하는가?
- 가정에서 감정표현 방법에 대한 소통방법을 알고 있는가?

③ 원 생활에 대한 기본 에티켓을 신중히 전달할 준비를 하여야 한다.

- 전문성을 바탕으로 한 소통을 통해 자녀의 변화 설명에 모든 초점을 맞추어야 한다.

◉ 상반기 상담 시 주의사항

① 원아의 정보를 수집한다.

원아의 이름과 발달 정도, 이전 경험은 반드시 숙지하고 상담에 임한다.

② 안정적으로 라포를 형성한다.

학부모는 새로움에 대하여 기대감과 함께 낯선 마음을 가지고 있을 뿐 아니라 인지적으로나 정서적으로 잘 해내야 한다는 다소의 두려움을 가지고 있다. 그러므로 정서적 안정감을 가지도록 라포를 형성하는 것이 우선적이다.

③ 반갑게 맞이한다.

반갑게 맞이하는 것은 언어표현과 함께 표정이나 태도 등 비언어적 메시지에 대한 중요성을 알고 적극적으로 표현하되 과잉반응이 되지 않도록 상황에 적합한 태도로 임한다.

④ 아이의 발달에 방향을 제시한다.

새로운 환경에 적응하는 것은 신입원아뿐 아니라 부모 또한 많은 정보 끝에 결정한 결과이므로, 관심과 궁금증을 신뢰감 기반의 안정감으로 유지하는 부모 상담을 준비하여야 한다.

⑤ 동반자로서의 관계를 알린다.

가정이나 원의 일반적인 안내나 요구가 아니라 다양한 부모님의 요구나 의견을 수렴하는 관계 지향적인 탄탄한 상담이 되어야 한다.

⑥ 학부모의 요구나 물음에 있어 잘 모르는 부분은 나중에 "알아본 후 알려 드린다"고 한 후 잊지 않고 물음에 답한다.

2) 하반기 상담

① 재원 또는 2학기가 되면 왜 부모들은 우리 원에 집중하지 않고 다른 원을 궁금해 하는가?

- 현재 원에 대한 불만보다는 또 다른 또는 더 나은 요구사항이 증가하기 때문이다. 그러므로 원을 옮기고자 하는 아동을 빨리 파악하고 이유를 파악하는 것이 중요하다.

⑤ 비밀보장

상담에 있어 상담 내용에 대한 비밀보장은 사생활 보호 및 개인정보 유지에 꼭 필요한 요소 중 하나다.

5) 상담의 전문성을 높이는 문장과 용어

같은 말이라도 어떻게 표현하느냐에 따라 큰 차이가 난다. 같은 의미를 가진 말이라도 어떤 단어를 사용하느냐에 따라 느낌이나 중요도가 다르다. 또 신뢰할 만한 표현이 있고, 그렇지 못한 말투나 표현도 있다.

보육시설의 교사라면 위의 두 가지를 항상 잊지 말아야 할 것이다. 특히 상담에서라면 더 말할 나위가 없다. 같은 내용이라도 교사의 언어와 표현에 따라서 부모의 신뢰도는 달라진다. 교사의 말을 신뢰하면 여러 가지 점에서 부모는 마음을 놓고 진심어린 대화를 하게 된다.

또 이런 신뢰는 말뿐이 아니라 부모를 대하는 태도에서부터 나온다는 것을 잊지 말자. 당당하면서도 안정적이고 친절한 태도를 가진다면 표현의 미숙함을 가릴 수 있겠지만, 그 반대라면 역효과가 날 수도 있다. 여러 가지 면에서 차이가 나겠지만 한 마디로 말해서 신뢰도다.

교사로서의 전문성을 보이는 문장들을 찾아보았다. 이런 표현들은 하루 아침에 바꾸기 어렵다. 때문에 항상 선생님으로서의 자세를 가지고 이런 말을 사용하는 습관을 들이는 것이 중요하다. 그러다 보면 의식하지 않아도 이런 표현을 할 수 있게 될 것이다.

6) 도화다누리만의 전문성을 높이는 효과적인 표현

기본생활

- 아이가 순해요. → 아이의 기질이 순해요.
- 잘 놀아요. → 적극적으로 놀이해요.
- 하루 종일 잘 웃었어요. → 일상생활을 긍정적으로 바라봐요.
- 선생님이 씻어주자 혼자하겠다고 울었어요. → 자립심이 생기고 있어요.
- 먹을 때만 말을 잘 들어요. → 보상이 있을 때와 없을 때가 확연히 차이가 나요.
- 응가를 했어요. 설사에요. → 화장실에 다녀왔는데(기저귀를 확인해 보니) 묽은 변을 보았습니다.
- 아직 아기인데 생각이 멀쩡해요. → 아직 어린 연령임에도 자신의 감정을 잘 표현합니다.
- 고집이 세고 자기 주장이 강한 편입니다. → 자신의 의지를 강하게 표현해요.
- 가만이 있지 않고 하고 싶은 건 다해요. → 호기심이 강하고 원하는 것을 이루기 위한 욕구가 강해요.
- 쉬를 많이 했어요. → 소변량이 많습니다.
- 낮잠 시간에 떼를 쓰며 잠을 안잤어요. → 낮잠자기가 불편한지 뒤척이며 잠들지를 못했어요.

신체운동

- 두루두루 몸을 잘 움직여요. → 신체 움직임을 즐기며 좋아해요.
- 아직 못해요. → 아직은 서투른 모습이 보입니다.
- 잘 뛰어요. → 활동적이어서 뛰기를 좋아해요.
- 가위질이 서툴러요. → 아직은 소근육발달이 덜 되어있다 보니 가위질이 어려운가 봅니다.
- 점프를 하다 넘어졌어요. → 높이 뛰기를 하다가 조절이 잘 안되었는지 넘어졌어요.
- 밖에서 노는 것을 좋아해요. → 실내보다는 바깥놀이를 좋아 합니다.
- 눈은 어디있냐고 물으니 코를 만집니다. → 아직은 정확한 신체부위에 명칭에 대해 인지하는 게 어려운 것 같아요.

의사소통

- 하고 싶은 게 있을 땐 말을 안 하고 손을 잡아 끌어요. → 자신의 의사표현을 언어로 표현하는 것을 어려워 합니다.
- 자꾸 울며 해달라고 해요. → 자신의 의사표현을 울음으로 표현을 합니다.
- 알고는 있는데 말을 안 해요. → 알고 있는 것을 언어로 표현하는 것에 어려움을 느낍니다.
- 아직 웅알거리기만 해요. → 언어적인 표현보다는 비언어적인 표현을 많이 사용합니다.
- 로봇을 보고 로봇이라고 이야기했어요 → 사물의 명칭을 정확하게 표현할 수 있어요
- 그림책을 보고 읽는 모습이었어요. → 그림책에 관심이 많고 탐색하는 모습이었어요.
- '김치 줘'라고 이야기 했어요. → 자신의 의사를 정확한 발음으로 표현할 수 있습니다.
- 친구가 이야기하자 잘 듣고 있었어요. → 상대방의 이야기를 주의깊게 듣는 모습입니다.
- 무엇을 쓰려 했어요. → 끄적이기를 하거나 글자에 관심을 보이며 직접 따라 써보는 모습을 보였습니다.

사회관계

- 성격이 소심해요. → 아이의 기질이 조심성이 많습니다.
- 두루두루 잘 지냅니다. → 또래와 관계가 좋은 편입니다.
- 동생을 잘 보살핍니다. → 동생들과도 잘 어울리며 도움을 주고 있습니다.
- 성격이 강한 편이에요. → 자기 주장이 강한 편입니다.
- 먹을 때만 말을 잘 들어요. → 간식이 있을 때와 없을 때의 반응이 확연히 차이가 나요
- 친구를 밀었어요. → 또래에게 신체적으로 거친 행동으로 표현을 합니다.
- 친구를 자주 때립니다. → 또래에게 거친 행동을 하는 모습이 자주 관찰됩니다.
- 친구에게 욕을 했어요. → 또래에게 바르지 않은 언어를 사용합니다.

예술경험

- 그림을 짱 잘 그려요. → 다양한 미술재료와 도구로 자신의 생각과 느낌을 자유롭게 표현할 줄 알고 이를 즐깁니다.
- 친구가 그린 그림을 보고 웃었습니다. → 또래가 그린 그림을 감상하며 서로 다른 예술표현을 존중할 줄 아는 모습입니다.
- 친구의 모습을 따라 했습니다. → 친구의 모습을 관찰하고 모방놀이를 하고 있습니다.
- 목청껏 노래 불렀어요. → 자신감 있게 노래를 부릅니다.
- 친구랑 엄마, 아빠 놀이를 하였어요. → 친구와 함께 가족에 관한 역할놀이를 했습니다.
- 춤을 신나게 춰요. → 음악에 맞춰 신체표현놀이를 신나게 즐겼어요.
- 눈이 오니 예쁘다고 좋아해요. → 눈이 내리자 '예쁘다'라고 표현하는 모습에서, 관심 있는 사물을 반복하여 주도적으로 탐색하고 주변 사물과 자연 세계에 호기심을 갖는 모습입니다.

자연탐구

- 이것저것 볼 게 많은 가봐요. → 호기심이 많아 주변을 탐색하였어요
- 간식 그릇에 많은 떡을 골랐어요. → 간식 그릇에 더 많은 떡을 고르는 것을 보니, 주변 사물의 같고 다름을 알고 구분하는 모습에 ○○ 이의 성장이 관찰됩니다.
- 1, 2, 3, 4 라고 이야기 했어요. → ○○ 이가 1, 2, 3, 4라고 이야기를 하였습니다. 세 개 이상의 구체물을 구분하고 수량을 세는 모습에 ○○ 이의 성장이 관찰됩니다.
- 장난감이 아래에 있다고 했어요. → 구체물을 중심으로 상, 하, 좌, 우의 위치를 파악할 수 있습니다.

기타 표현

- 저희는 특별한 교육을 해요. → 우리 어린이집은 표준교육과정을 기반으로 인성교육을 실시하고 있습니다.
- 아이들마다 다르게 교육해요. → 아이들의 개성 존중하고 발달수준에 맞춰 교육하고 있습니다.
- 잘 달래주고 있습니다. → 아이의 마음을 잘 읽어주며 소통하고 있습니다.
- 가르치고 있습니다. → 아이의 눈높이에 맞춰 교육합니다.
- 지켜보고 있는 중입니다. → 아이를 관찰하고 기다려주고 있습니다.
- 우리 원장님의 보육철학은요? → 우리 원장님의 보육철학은 영유아보육법 제2조의(정의)에 해당합니다. '보육'이란 영유아를 건강하고 안전하게 보호·양육하고 영유아의 발달 특성에 맞는 교육을 제공하는 어린이집 및 가정양육 지원에 관한 사회복지서비스를 말한다."입니다.

7) 상담시 주요 단어

◎ 방어기제

자아가 위협받는 상황에서 무의식적으로 자신을 속이거나 상황을 다르게 해석하여, 감정적 상처로부터 자신을 보호하는 심리의식이나 행위를 가리키는 정신분석 용어.

베일런트에 따르면 개인의 방어기제의 '성숙도'는 자아의 강도를 반영할 뿐만 아니라 삶에 대한 적응성 그리고 그 사람의 웰빙을 예측한다. 주로 사용하는 방어기제가 낮은 수준으로 평가된 사람들은 실제로 우울증 발병률에서도 비례관계를 보인다고 알려져 있다. 베일런트 는 방어기제의 성숙도를 4단계로 나누었으며 단계가 올라갈수록 더욱 성숙한 것으로 보았다.

방어기제의 명칭으로는 억압, 부정, 반동행동, 투사, 대치, 동일시, 주지화, 퇴행, 승화가 있다.

◎ 인지모델

인간의 행동은 무의식적인 힘이 아닌 의지에 의해 결정되고 인간의 행동은 사고에 의해 결정된다.

부정적 지각과 사고, 비합적 신념은 부적응적인 행동을 초래한다.

주요이론으로는 앨리스의 합리적, 정서적, 행동치료와 백의 인지치료 중 자동적 사고, 역동적 인지도식이론이 있다.

프로이트는 정신분석학이라는 성격이론을 처음 제안하였다. 인간의 정신구조는 의식, 전의식, 무의식으로 구분하였다. 또한 인간의 성격구조로는 원초아, 자아, 초자아의 갈등과 불균형 등에 의해 발생할 수 있다고 하였다.

◎ 심리적발달

단계로는 구강기(애착관계), 항문기(배변훈련 시기), 남근기(남녀의 신체차이 인식), 잠복기(다양한 신체 활동, 도덕성), 생식기(성적 욕구가 생김)가 있다.

3단계 - 상담의 실전

1. 교사의 복장과 태도

위에서 교사가 사용해야 할 전문성 있는 다양한 표현을 알아보았다. 그러면 실제 상담에서는 어떻게 해야 할까? 상담교사는 사전에 준비한 객관적인 자료(상담일지+관찰척도해석 및 관찰척도 해석+포트폴리오)를 토대로 상담을 시작한다. 다음은 상담 시 교사의 태도에 대한 설명이다.

1) 정갈한 교사 복장 체크(과하지 않은 화장)

학부모에게 신뢰감을 줄 수 있는 정장을 입거나 따뜻함을 줄 수 있는 니트류의 옷을 입는다. 부드러운 느낌의 화장을 하고 상담 시 시선은 편안하게 맞춘다. 보통 눈과 눈 사이를 바라보고 이야기하거나 눈을 보고 얘기한다. 자연스럽게 한 번씩 시선을 내린다거나 하면서 언어적, 비언어적 반응을 적절히 사용한다.
눈빛, 몸의 자세, 미소와 발의 제스처, 얼굴 표정, 목소리 등 전문가적인 느낌을 줄 수 있도록 유의한다.

2) 상담하는 장소 체크(상담실 앞 상담 안내문 부착)

사전에 상담공간으로 사용할 곳을 확인하고 언제 누가 사용할 것인지도 조정해 놓고 서로 공유하는 일이 꼭 필요하다. 집중해야 할 상담이 방해받지 않게 상담 장소 문 밖에 '상담 중' 문구를 걸어 두는 것이 좋다.
상담공간은 조용하고 깨끗하게 정돈되어 있어 상담 진행이 방해받지 않아야 한다. 테이블이 작아 너무 가까이 마주 보아도 서로 부담스러울 수 있으니 적정한 거리를 유지한다. 테이블에 미니 화분과 음료를 준비하고 조용한 음악을 틀어 편안한 분위기를 만들어 놓는다.

3) 사전 자리 선정(학부모가 상담실 문을 등지고 앉을 수 있도록 한다-집중도)

학부모가 오시면 따뜻하게 맞이하여 상담실로 자리를 안내한다. 학부모가 문을 등지고 앉아 상담에 집중할 수 있도록 자리를 배치한다. 상담하는 장소의 전화기 및 인터폰이나 벨이 울려 상담의 흐름이 끊기지 않도록 사전에 점검한다.

4) 영유아의 장점부터 이야기를 나눈다.

(처음 친근감을 위해 상담 아동의 최근 에피소드를 준비하여 이야기를 나눈다.)
영유아의 입학 시점의 모습과 현재의 모습에 대해 이야기하며 어린이집에 적응하여 안정적으로 생활하고 있다는 사실을 알린다. 최근에 있었던 영유아의 재미난 일화를 이야기하며 긴장감을 풀고 상담에 들어간다.

5) 해당 영유아에 대해서만 이야기 한다.

교사는 학부모님의 이야기를 경청하며 학부모의 기대나 욕구를 파악하고 거기에 다른 필요한 정보나 내용을 주어야 한다. 학부모와 상담시 또래집단에서 영유아들이 잘 지내고 있는지, 우리 아이의 발달에 문제가 있지 않는지에 대해 궁금해 하시는 경우가 많다.
다른 영유아의 비교보다는 영유아 본인의 발달에 대한 이해를 도울 수 있는 관찰기록, 동영상 자료, 포트폴리오를 보며 질문과 연계하여 이야기 나눈다. 또한 예측되는 문제행동에 대해 이야기하며 교사와 부모가 역점을 두고 지도할 사항에 대해 의논한다.
문제행동이 나쁜 점이 아니라 아이가 부딪히고 있는 어려운 점임을 인식하게 하고 다양한 해결책 중 학부모가 의사결정을 할 수 있도록 돕는다.

6) 상담 시 중요사항은 한번 더 짚어 준다.(재진술 및 명료화하기)

학부모님의 감정과 생각이 분명치 않을 경우 학부모의 말을 짧게 확인하고 요약하여 학부모를 이해하고 경청하고 있다는 것을 전달한다. 두괄식이 아니라 미괄식 정리를 한다.

7) 상담의 끝

상담이 끝나갈 무렵에는 오늘 상담이 어떠했는지~ 궁금 사항에 대한 물음과 만족도 조사로 마무리한다.(학부모 사인) 학부모님께서 영유아의 어린이집 생활에 대한 궁금증이 해소되었는지 확인한다. 서두르는 인상을 주지 않고 언급된 사항과 필요한 사항을 기록하고 교사와 어린이집에 바라는 말을 한 번 더 묻는다.
상담 후에도 영유아와 관련된 궁금증은 언제든 의사소통 할 수 있음을 안내하며 만족도 조사로 마무리한다.

8) 상담이 끝난 후 현관 입구까지 나와 정중하게 인사를 나눈다.

상담에서도 유종의 미가 필요하다. 이야기가 순조롭게 끝났다고 마음을 가볍게 하기에는 아직 이르다. 학부모와 현관에서 인사하고 헤어질 때까지 자세를 바로한다. 나와서 헤어지는 순간에는 현관 입구에까지 나와서 정중한 인사를 나눈다.

9) 상담 내용은 그날 반드시 기록한다.

상담 중 내용은 간단히 메모하였다가 종료 후 상담 결과서에 학부모와 상담한 영유아의 어린이집 생활, 가정생활, 그 외의 상담내용을 다양한 형식으로 기록한다. 사후 적용도 중요하게 관리한다.

10) 상담 평가

학부모 상담에서 교사가 전달하고자 하는 내용이 잘 전달되었는지, 교사가 계획한 상담 내용 이외의 학부모님의 요구를 파악했는지 살펴본다. 추후 상담 내용을 보육과정에 어떻게 추가할지를 계획한다.
교사에게 전문성이란 '아이와의 동행'이다. 즉 모든 학부모와 상담이나 소통할 때 자신의 감정이나 원과 부모의 입장에서의 소통이 아니다. 항상 아이가 있어야 한다. 그것이 우리의 전문성이라고 생각한다.

2. 상담 사례

학부모 상담 활동안

<table>
<tr><th colspan="2">부 모 참 여 활 동 안</th><th>담 당</th><th>원 장</th></tr>
<tr><td>주 제</td><td>학부모 상담</td><td></td><td></td></tr>
<tr><td>일 시</td><td>2022년 4월 11일 ~ 4월 29일</td><td></td><td></td></tr>
<tr><td>장 소</td><td colspan="3">각 반 교실</td></tr>
<tr><td>목 적</td><td colspan="3">• 상담을 통해 영유아들의 원 생활의 모습을 알 수 있다.
• 가정과 연계하여 영·유아들의 성장과 발달에 도움을 줄 수 있다.</td></tr>
<tr><td rowspan="4">활 동</td><th colspan="3">활 동 내 용</th></tr>
<tr><td colspan="3">1. 방문한 학부모님(신속항원검사서 제출하고) 교실로 입장, 인사 나누기
→ 전화 상담은 학부모와 인사 나누기
2. 상담하기
3. 마무리하고 인사 나누기</td></tr>
<tr><td>
나누리반</td><td colspan="2">
참누리반</td></tr>
<tr><td>
우리누리반</td><td colspan="2">
온누리반</td></tr>
<tr><td>평 가</td><td colspan="3">유아반 상담에서는 재원생 비율이 많아서 학부모님들의 전화상담으로 이루어졌다. 영아반 상담에서는 코로나로 어린이집 방문이 어려웠던 시기가 있어서 원 환경이 궁금하신 분들이 많아 직접 원을 둘러보며 담임교사와 상담을 진행하는 학부모님들이 계셨다. 원에 대한 전반적인 만족도가 좋았다.</td></tr>
</table>

부모상담 만족도 조사

귀한 시간을 내어 주셔서 깊은 감사를 드립니다. 학부모 상담을 통해 자녀의 발달 상태를 분석하고, 자녀 발달을 위한 개선 방법이 면밀히 나누어지기를 바랍니다.
부모상담을 통한 소감을 적어주시면 더 나은 부모상담을 위한 준비에 큰 도움이 될 것입니다.

*원아 :

*상담 방식:

*상담 일시:

문 항	매우 그렇다	그렇다	보통이다	아니다	매우 아니다
1. 부모상담에 소요되는 시간은 적절한가요?					
2. 부모상담의 진행 방식은 적절한가요?					
3. 상담 시 아이와 관련된 상담 자료가 적절하였나요?					
4. 우리 아이를 알 수 있는 유익한 시간이었나요?					
5. 우리 아이에 대한 궁금한 점이 해결이 되었나요?					
부모상담 중 어떤 점이 도움이 되셨는지, 혹 건의 사항이나 기타 의견을 적어주시기 바랍니다.					

202 년 월 일

(사인)

학부모 상담 만족도 조사

사랑합니다~♡

본 설문지는 학부모 상담을 진행 후 부모님의 소중한 의견을 듣기 위함입니다.

향후 더욱 내실 있는 학부모 상담이 이루어질 수 있도록

꼭 작성하여 주시기 바랍니다.

1. 매우 불만족 2. 불만족 3. 보통 4. 만족 5. 매우 만족 (해당 사항에 ✓표 해 주시기 바랍니다.)

구분	설문내용	평가 결과				
시기 및 장소	1. 학부모 상담 시기와 시간은 적절하였습니까?	①	②	③	④	⑤
	2. 상담 방식은 만족하십니까? (방문 / 전화)	①	②	③	④	⑤
의견	위 내용 중 미흡한 부분이 있었다면 의견을 작성해 주시기 바랍니다.					
상담 내용	1. 학부모상담 진행은 만족하십니까?	①	②	③	④	⑤
	2. 학부모상담 내용에 만족하십니까?	①	②	③	④	⑤
	3. 학부모 상담 시간은 만족하십니까?	①	②	③	④	⑤
	4. 학부모 상담을 통해 궁금증이 해결되었습니까?	①	②	③	④	⑤
의견	위 내용 중 미흡한 부분이 있었다면 의견을 작성해 주시기 바랍니다.					

학부모 상담을 포함한 어린이집에 기타 의견이 있으시면 적어주세요

학부모 상담 만족도 조사

사랑합니다~♡

본 설문지는 학부모 상담을 진행 후 부모님의 소중한 의견을 듣기 위함입니다.
향후 더욱 내실 있는 학부모 상담이 이루어질 수 있도록
꼭 작성하여 주시기 바랍니다.

1.매우불만족 2. 불만족 3.보통 4.만족 5.매우만족 (해당사항에 √해주시 바랍니다.)

구 분	설 문 내 용	평 가 결 과				
시기 및 장소	1. 학부모 상담 시기와 시간은 적절하였습니까?	①	②	③	④	⑤✓
	2. 상담 방식은 만족하십니까? (**방문** / 전화)	①	②	③	④	⑤✓
의견	위 내용 중 미흡한 부분이 있었다면 의견을 작성해 주시기 바랍니다. 예전에는 코로나로 전화 상담 안해서 잘 몰랐는데 아이에 대해 다양한 자료를 가지고 설명해 주셔서 좀 더 믿음이 가는 것 같아요.					
상담 내용	1. 학부모상담 진행은 만족하십니까?	①	②	③	④	⑤✓
	2. 학부모상담 내용에 만족하십니까?	①	②	③	④	⑤✓
	3. 학부모 상담 시간은 만족하십니까?	①	②	③✓	④	⑤
	4. 학부모 상담을 통해 궁금증이 해결되었습니까?	①	②	③	④✓	⑤
의견	위 내용 중 미흡한 부분이 있었다면 의견을 작성해 주시기 바랍니다. 상담 시간이 30분 정도였는데 뒤에 다른 부모님이 상담을 위해 있어서 좀 아쉬웠어요. 다음에는 상담 시간이 좀만~ 더 여유있었으면 좋겠습니다.					

학부모 상담을 포함한 어린이집에 기타 의견이 있으시면 적어주세요
어린이집에 직접 방문해서 상담을 하니 우리 아이가 생활하는 공간도 직접 볼 수 있어서 좋았고 안심이 되었습니다. 집에서 아이 한 명 돌보는 것도 힘든데 이렇게 여러 명의 아이에 대해 알고 함께 해주시는 선생님께 정말 감사하다는 인사를 드리고 싶어요. 앞으로도 잘 부탁드립니다^^

4단계 - 관찰 예시

1. 특화 프로그램을 통한 학부모 상담 사례

이 단계에서는 학부모 상담과 관련해 참고할 수 있는 상담사례를 보여준다. 산만한 만3세 영아를 관찰하고 만다라라는 예술활동으로 접근하고 있다. 8회기에 걸친 프로그램 기획단계를 통한 예술치료적인 접근으로 나타나는 결과를 기대할 수 있다.

여러 어린이집에서도 각 기관의 환경과 특성에 맞는 활동을 이용하여, 관찰하고 이에 알맞은 기획 프로그램을 진행하면 좋은 효과를 나타낼 수 있다고 생각한다.

아동 특징

만3세인 oo는 2년 넘도록 어린이집에 다니며 감정조절이 잘 되지 않으며 기분변화가 심하다. 그로 인해 놀이나 교육활동 시 또래와 상호작용이 일반적이거나 공격성을 띤다. 교사에게까지 공격성을 보이고 가만히 있는 것을 힘들어 하는 모습이 자주 관찰된다.

목표

- 자신의 감정이나 생각, 행동 등을 일상생활에서 언어로 잘 표현할 수 있도록 도와준다.
- 자신이 타인에게 해를 주는 행동이나 잘못된 습관을 제거하거나 알려준다.
- 자존감 형성에 도움을 줄 수 있도록 도와준다.
- 예술활동을 통해 정서를 안정적이게 도우며 창의적으로 표현하는 과정을 즐긴다.

회기별 프로그램 기획

1회기 : 행동관찰 기록하기
2회기 : 배경분석
3회기 : 만다라 지원
4회기 : 그림책 보며 이야기 나누기
5회기 : 배려와 사랑의 탄생
6회기 : 춤추고 싶은 날에
7회기 : 영화 본 데이
8회기 : 가정과의 연계

1회기 : 행동관찰 기록하기(나의 역할)

◎ 일화기록하기

유희실에서 ○○는 규칙을 지키지 않고 마음대로 돌아다녔다. 줄을 서지도 않고 코치와 교사가 하는 말을 듣지 않고 구석으로 도망 다녔다. “내가 일 등할 거야! 내가 먼저 할 거야!”라며 다른 유아들의 놀이를 방해했다. 교사가 주의를 주자 “기분이 안 좋아! 나 울 거야”라며 울음을 터뜨렸다. 규칙을 지키자는 교사의 말에 화가난 oo는 마음대로 돌아다니며 유희실 내 교구를 쓰러뜨리며 손에 잡히는 교구를 친구들을 향해 던지기 시작하였다. oo에게 “왜 화가 났니?”라고 묻자 “나 화났어! 화났나고~”라며 소리지르며 교사를 세차게 발로 찼다.

쌓기영역에서 ○○는 곤충교구 바구니를 와르르 쏟아냈다. 자기가 좋아하는 곤충만을 골라 바구니를 세우고 놀이를 하였다. 다른 유아가 다가가자 주먹으로 밀치며 다른 장남감을 집어던졌다. 유아들이 당황해 하자 “흥! 나 삐졌어!”하며 주변을 향해 주먹을 휘둘렀다.

◎ 평가(소감)

공격적 행동 외에 다른 행동을 관찰하여 바람직한 행동을 하면 집중적으로 칭찬하며 ○○이가 또래를 때리거나 물건을 던지는 행동을 대신하는 북치기, 발구르기 등의 대안을 찾아 주었다. 하지만 그 행동 수정이 잠깐이라는 것을 고백한다.

2회기 - 배경분석 (나의역할)

◎ ○○이의 개인 성향 분석하기

- 언어능력 제한, 사회적 기술 부족, 낮은 자아감
- 힘에 대한 잘못된 믿음
- 협동놀이 시 끝에는 공격적 형태로 마무리됨
- 작은 일에도 짜증을 부리거나 소리를 지르는 예민한 기질임
- 감정기복이 심하며 부정적 감정을 해소하는 데 많은 시간이 걸림

◎ 가정 환경

- 아버님은 아르바이트를 하시고 그 공백을 청각장애인 어머님이 돌보며 양육에 혼선이 보임
- 언제나 아이에게 미안한 감정을 물품으로 보상하려는 모습을 보임
- 어머님과의 상호작용이 어려움
- 놀이를 하거나 교육 시 지속적으로 집중할 수 없음

◎ 평가(소감)

공격성과 과잉행동의 패턴을 파악하여 상황을 미리 예측한다.
(블록놀이할 때 공격성이 많다면 놀이를 못하게 하고 다른 놀이 환경을 유도해 준다.)
일정 기간 동안 상장이나 칭찬으로 관심을 가지도록 유도하여 적절한 행동 시 집중적으로 행동 수정의 발판을 만들어 주도록 노력한다.

3회기 - 만다라 지원

만다라 준비(나의 역할)

다양한 만다라를 준비하고 만다라를 그릴 때의 몰입을 통해 유아가 흥미와 재미, 심리적, 정신적인 안정감을 느끼며 스트레스를 해소할 수 있도록 지도한다.

◎ 만다라의 실천 방법

① 만다라의 모양에 대해 이야기 나누기

② 모양에 따른 자료 선정하기

③ 만다라 그리기

④ 내가 그린 만다라 소개하기

◎ 평가(소감)

일상에서 아름다움을 발견해 내는 과정을 통해 시야를 더 긍정적인 방향으로 바꾸어 주고 심리적 치유가 가능하다. 만다라는 기준이나 평가의 지표가 아니므로 OO이에게 편안한 환경과 충분한 시간을 주어 그릴 수 있도록 하고 듣기 편안한 음악을 준비해 주도록 노력한다.

4회기 - 그림책 보며 이야기 나누기)

◎ 그림책 선정하기(나의 역할)

- 자존감 형성에 도움을 주거나 삽화나 내용이 인성에 도움을 줄 수 있는 책을 선정한다.
- 동화책 '민들레는 민들레' 선택함
- 교사는 표지의 처음과 끝을 놓치지 않고 유아에게 전해 주고 민들레의 '한살이'와 '자기다움'과 '소중한 자신'에 대해 이야기해 주는 것을 놓치지 않았다.

◎ 아동의 반응 체크

글밥은 다소 작지만 매력적인 삽화들과 계절적 흐름과 어우러져 집중하는 모습이었다. 교사가 굳이 '자아존중감'에 대한 직접적인 언급을 안하더라도 "작은 꽃도 소중한 거야!", "우리도 작아~", "우리도 소중해~" 등의 이야기를 나누는 모습을 볼 수 있었다.

◎ 평가(소감)

어떤 감정을 전달할 때 그림책 처럼 적절한 매체는 없는 듯하다. 자신의 내면을 들여다보며 자신의 감정을 이해하고, 객관화, 통제하는 경험과 연습은 교육을 통해 이루어질 수 있다. 이에 더해 그림책(민들레는 민들레)이라는 도구로써 자아존중감을 항상시키려는 접근을 할 수 있었다.

5회기 - 배려와 사랑의 탄생

◎ 배려에 대한 이야기 나누기(나의역할)

힘이 약하고, 도움을 필요로 하는 대상에게 어진 마음으로 성장할 수 있도록 돕는 넓은 마음이 아량이다. 특히 배려는 정서적인 마음만을 강조하지 않고, 행동하는 실천적 도움과 마음 쓰기를 포함하는 개념이므로 이를 이야기 나눈다.

◎ 배려와 사랑의 탄생 실천 방법

① 콩나물 콩을 탐색하기 숟가락, 젓가락으로.

② 콩나물 콩 숨기기(어둡게)

③ 콩나물 탄생

④ 콩나물 박스 또는 종이컵에 꽂기 놀이

⑤ 활동 후 오늘의 활동에 대해 이야기를 나누어 보고 내일 활동을 소개하며 마무리하기

◎ 평가(소감)

- 계획된 활동을 통하여 지원하여 oo 이의 한계를 설정해 준다.
  (중재 과정 시작하기 >각 유아의 관점을 분명히 하기 >요약하기 > 대안찾기 > 해결책에 동의하기 > 문제해결 과정 강화하기 >실행하기)
- 공격정 행동에 대한 일관성 있는 한계 설정하기

6회기 - 춤추고 싶은 날에

유기견 사진이나 영상 준비하기(나의 역할)
투명우산과 스티커 그림 도구 준비하기

◎ 춤추고 싶은 날에 실천 방법

① 유기견에 대해 이야기 나누기

② 유기견을 배려해준 자연에 대해 알아보기

③ 자연이 우리에게 배려해 주는 것에는 무엇이 있는지 이야기 나누기

④ 준비된 게임 활동의 약속에 대해 알아보기

⑤ 유아의 배려를 받으며 쑥쑥 자란 콩나물을 이용한 게임활동에 참여하기

◎ 평가(소감)

oo 이는 사회적 접근 동기가 낮고 또래들과 함께 놀이보다는 혼자 노는 것을 선호하므로 교사가 재미있는 활동을 지속적으로 해준다. 가정과 교실에서 부모나 교사가 분노에 대한 감정 표출에 대한 다스림을 보여주며 모범적 모방의 역할을 감당한다.

7회기 - 영화 본 데이

◎ 영화 준비하기(나의 역할)

○○이의 마음이 편안해지거나 정서에 도움이 될 20~30분 정도의 영화를 선정한다.

◎ 영화 본데이 실천 방법

① 영화관에 가본 경험에 대해 이야기를 나누며 지켜야 할 약속에 대해 알아본다.

② 영화 관람을 하며 팝콘을 먹는다.

③ ○○이와 영화 본 느낌을 이야기 나누기

◎ 평가(소감)

○○이의 흥미를 고려하여 영화를 선정하였다. 팝콘을 먹는 동안만 앉아있을 것임을 예상하고 목표에 미치지 않았을 때를 위해 보상이나 강화 내용을 준비할 필요성을 느낄 수 있다.

8회기 - 가정과의 연계

◎ 가정과의 연계하기(나의 역할)

- 가정과 기관의 효율적인 의사소통체계 갖기
- 다수의 양육자가 유아를 보육 시 양육자의 지도가 일관성을 가질 수 있도록 요청
- 부모님의 꾸준한 상담으로 문제 행동에 대한 상황을 면밀히 공유
- 공격성의 이해를 돕기 위한 자료를 제공하고 가정지도 방법을 개별 통신문으로 연계

◎ 평가(소감)

비공격적 해결에 대한 지속적 칭찬으로 공격적 행동의 횟수가 줄어들 수 있다. 또 학부모님과의 꾸준한 상담으로 가정과 어린이집에 대한 아이의 해석에서 조금씩 차이가 좁혀지는 모습으로 문제행동에 대해 인식이 가능하다. 또한 교사가 oo 이의 문제 행동에 대해 꾸준히 관찰한 부분들을 가정과 연계함으로써 놀이치료를 안내하여야 한다.

만다라의 목적 및 방향과 예시

예술교육(만다라) 실천방법

① 만다라의 모양에 대해 이야기 나누기

② 모양에 따른 자료 선정하기

③ 만다라 그리기

④ 친구에게 내가 그린 만다라 소개하기

⑤ 내가 그린 만다라 게시하기

⑥ 가정과의 연계

유아발달 활동결과물 발달자료 유아발달 활동결과물 발달자료

처음에는 색연필을 살살 잡고 색칠을 하여 색이 진하지 않고, 다하지 않았지만 다했다며 이야기한다.
친구들이 만다라 활동을 하는 것을 즐거워하자 친구들에게 "나도 손에 힘이 강해지고 있어"하며 만다라 활동을 즐겁게 한다.
"선생님 저 하나만 더 하고 싶어요"한다.

"칸이 너무 많은데 어떻게 칠해요?" 한다. 교사가 조금 도움을 주며 흥미를 이끌어주자 여러 가지 색으로 색칠을 하고 "선생님 저 두 개 더 하고 싶어요" 한다.
다양한 색을 주저하지 않고 선택해 만다라 색칠활동을 한다.
친구들이 강○○ 유아의 만다라 활동을 보고 꼼꼼하다고 하자 조금더 힘을 주어 꼼꼼하게 색칠해 나간다.

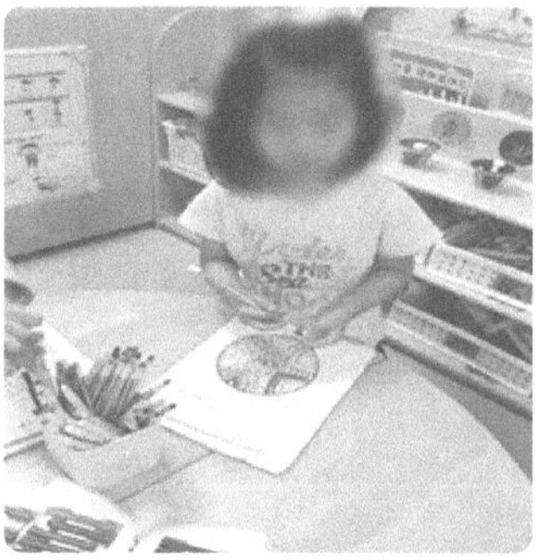

다양한 색을 이용하여 만다라 활동에 참석하며 자신의 생각과 느낌을 표현하고 자신의 미술표현에 만족감과 성취감을 느낀다.
"내가 그린 만다라 어때요. 예쁘죠?" 라며 즐거운 모습으로 웃는다.

예술교육(만다라)의 교육적 가치(시사점)

- 아이들은 일단 만다라를 색칠하거나 그리면서 집중을 하고, 그 과정을 통해 자신감과 그것을 다 해냈을 때 성취감을 느낀다.
- 만다라는 원이라는 안정적인 도형을 바탕으로 균형 있는 모양을 가지고 있다. 또한 원의 중심으로 모이는 모양을 통해 자신의 중심을 느끼고 표현함으로써 내적 자신감과 안정을 찾는 것에 도움을 준다.
- 일상에서 예쁜 것을 발견해 내는 과정을 통해서 마음의 시야를 더 긍정적인 방향으로 바꾸어 내고 심리적 치유가 가능하다.
- 관찰하고 발견해낸 작품들을 직접 완성해 가면서 뿌듯한 성취감을 느낄 수 있다.
- 나만의 개성과 세상을 바라보는 시야가 담긴 일상 작품들을 완성하며 그려내는 과정을 통해 자존감이 점차 향상된다.
- 정신과 육체가 건강해지며 창의성에 관심을 갖는다.
- 자신 안의 새로운 에너지를 발견하며 기쁨을 누릴 수 있게 된다.

예술교육(만다라)의 어려움과 해결 방안

- 심미적·창의적 감수성을 키워줄 수 있도록 공간과 자료를 제공해 주는 것이 중요하다.
- 만다라는 기준이나 평가 지표가 아니므로 아이들이 편안한 환경과 충분한 시간을 주어 그릴 수 있도록 하고 듣기 편안한 음악을 준비해 주도록 노력한다.

아동상담 후 부모와의 공유 평가 예시

집 밖에서 만나는 또 다른 엄마, 보육교사 이서현

엄마는 아이가 태어나면 혹여나 엉덩이가 무를까 하루에도 수없이 아이의 누운 자리를 들여다 봅니다. 기저귀를 체크하고, 아이가 걷기 시작하면 순간적으로 넘어질새라 눈을 떼지 못하고, 아이가 아프면 한 시라도 빨리 낫기를 바라며 잠을 설치며 이마를 짚고 약을 먹입니다.
자식에 대한 본능적인 사랑, 모성. 그래서 엄마는 누구도 가르쳐 주지 않았지만 저절로 아이를 아끼고 사랑하게 됩니다. 저는 아이를 낳은 엄마가 아닌 그 아이를 돌보는 교사에게도 엄마처럼 저절로 그렇게 모성이 생길 수 있다고 믿습니다.

지금까지 25년 동안, 아이들을 만나는 순간부터 저절로 생긴 그 마음으로 저는 각각 다른 아이들의 즐겁고 행복한 순간, 아프고 힘든 순간들을 곁에서 함께 응원해 왔습니다. 저는 아이들이 커가는 모습을 직접 눈에 담는 우리반 아이들의 엄마입니다. 그리고 청소년이 되고, 어른이 되고, 어쩌면 한 아이의 부모가 되었을지도 모르는 수 백 명 아이의 또 다른 엄마입니다.
매일 아침, 아이들의 손을 꼭 잡고 온 엄마, 아빠, 할머니, 할아버지에게서 고사리 같은 손을 넘겨 받습니다. 그 손이 다시 제 손을 꼭 쥐는 이 시간부터 오롯이 제 시간입니다. 저는 아이들이 어린이집에서 보내는 동안 놀랍고 귀여운 그 모든 모습을 독차지합니다.

아이가 세 살, 네 살이면 이미 부모에게 해야 할 효도는 다 했다는 말이 있죠. 저는 투 담임으로 열네 명의 아이들에게서 아이가 첫 걸음을 떼는 감동적인 순간을 보는 부모처럼 놀랍고 새롭고 감격스러운 장면들을 매일 선물 받습니다.
이 세상 어느 부모가 아이들이 커가면서 보여주는 놀라운 순간들을 이렇게 많이 경험할 수 있을까요? 저는 매년 얼마나 많은 아이들에게 큰 효도를 받고 있는 것일까요? 그리고 제 일은 얼마나 멋진 것일까요.

"밥도 잘 먹고, 잠도 잘자고, 뭐든 잘해 주는 우리 oo 이의 새로운 특기를 오늘 발견했어요. 체조 음악에 맞춰 리본을 흔드는 리본체조 놀이에서 oo 이는 키의 5배가 넘는 리본을 들고 자유자재로 원을 만들고 곡선을 만들었습니다. 정말 잘해 몇 달을 준비한 재롱잔치처럼 멋진 발표시간이 되었어요. 어머니, 또 다른 재능도 발견해서 보여드릴게요."

제가 매일 경험하는 이 놀라운 장면이 부모님 마음에 똑같이 닿을 수는 없겠지만 아이가 밖에서 한 효도, 집에서도 느끼시라고 그 순간 그 마음을 꾹꾹 눌러 담아 사진, 동영상과 함께 알림장 한 페이지 가득 세세하게 적습니다.

감사하게도 제 마음을 느끼셨는지 부모님들의 댓글도 따뜻한 말씀이 참 많습니다. 스승의 날에도 일부러 따로 댓글에 고마운 마음을 가득 담아 전하시는 부모님도 많습니다. 이쯤되면 스승의 날이 아닌 어버이날에 부모님과 선생님이 서로 "우리 oo 사랑해 주셔서 감사합니다. 낳고 길러주신 은혜 잊지 않을 게요."라고 감사의 말을 주고 받아야 할 것도 같습니다.

집 안에서의 육아와 집 밖에서의 보육이 긴밀하게 연결되어 있을 때 아이들이 집 안과 밖에서 느끼는 정서적인 차이를 느끼지 않고 스며들 듯 편안하게 생활할 수 있습니다. 정서적인 안정, 부모의 사랑을 받은 아이들이 제게로 와서 부모만큼의 사랑을 받고 다시 집으로 돌아가는 선순환인 것이죠.

알림장에는 아이들의 기본적인 생활은 물론 특이사항이 있는 날은 부모님께 그 날의 세세한 상황을 빠짐없이 알려 드리고 함께 고민하며 아이의 상황을 집에서도 느끼실 수 있도록 합니다. 그러면 부모님은 다시 피드백을 주십니다.

저는 그 피드백을 바탕으로 아이가 집에서 있던 상황을 인지하고, 추후의 상황을 대비해서 다음 날 아이가 가정과 어린이집의 차이로 느낄 수 있는 당혹스러움을 최

대한 줄여 정서적으로 안정된 생활을 준비할 수 있도록 합니다.
우리 어린이집은 실천은 더 어려운 '사랑'이라는 기초 위에 자라게 하고, 저는 그 안에서 아이들의 특성을 파악하고 아이마다 필요한 부분들을 채워주며 단단하게 키우고 있습니다. 좋은 음식을 더 많이 제공하고, 몸으로 노는 체험을 다양하게 지원하고, 자주 바깥에서 놀게 하며, 다양한 체험학습을 준비합니다.

아이를 키우시는 부모님들은 그 활동들이 내 아이 하나만으로도 벅차다는 걸 잘 아시기에 그 많은 아이를 돌본다는 사실만으로 감사하다는 말씀을 자주 남기십니다. 그러면 저도 감사하다고 인사를 드리지요. 저도 아이들을 통해 얻는 기쁨이 크기에 부모님들께 하는 감사의 인사가 흔한 답례가 아니라 진심으로 드리는 인사라는 걸 알아주세요.
저는 아이를 낳고 이미 다 키웠기에 어린 아이 한 명 한 명의 행동이 새롭고 더 기특합니다. 그리고 그 아이들이 첫 사회를 배우는 유아기에 더 다양한 활동을 경험시켜 주고 싶고, 더 좋은 걸 주고 싶습니다. 아마 엄마의 마음과 크게 다르지 않을 것 같습니다.
전국에는 저와 같은 모성으로 아이들을 돌보시는 교사가 많을 것입니다. 그리고 그 분들을 존중하시는 부모님들도 많을 것입니다. 어린이집을 넘어, 그래서 저는 우리 사회에 희망이 있다고 느낍니다.
댁의 귀한 아이를 제게 믿고 맡겨 주셔서 감사합니다. 저는 댁의 자녀와 집 밖에서 함께 생활하는 또 다른 엄마, 보육교사 이서현입니다.

part 3.
교사채움

이 장에서는 보육교사에게 있어 실질적 요소인 교사교육 및 교사힐링, 가정과의 의사소통에 대해 알아본다. 보육계획 수립과 수행 및 평가 등 어린이집의 기본적인 기획이 이루어지는 부분이다.

이 장에는 '교사채움'이라는 효과적인 체계를 통해 진행하는 다양한 포맷들을 함께 싣고 있다. 각 교육기관에서 상황에 맞도록 재편집해서 사용할 수 있도록 공개한다.

교사채움은 교사교육의 중요성을 알고, 오랫동안 시행하면서 체계를 세운 효과적인 교사교육 방법이라고 할 수 있다. 효율적인 업무만을 위한 일방적인 교육이 아니라 교사의 힐링까지 생각하는 교사교육은 어린이집의 전반적인 활동에 긍정적인 피드백을 가져온다.

이는 가정과의 의사소통에 앞서 교사의 자신감과 자긍심을 키워주고, 교사 서로간의 원활한 의사소통으로 신뢰를 형성한다. 이러한 점들이 모두 함께 하면서 학부모들에게 대외적으로 우리 원의 긍정적인 이미지를 만들어낸다.

교사교육과 힐링

1. 교사교육의 목적과 6가지 연수 주제

1) 목적

1. 보육교직원에게 공평한 대내·외 연수기회를 적극적으로 제공함으로써 총체적 보육전문가로서의 자질이 형성되도록 한다.
2. 매월 토론회를 통해 연수 및 연구를 통한 정보를 공유함으로써 전 종사자가 함께 같은 목표를 향해 갈 수 있는 기틀을 마련한다.
3. 원장과 교사의 면담, 교사회의를 통해 프로그램 계획과 운영방침에 대한 의견을 수렴한다.
4. 새로운 보육 프로그램을 접할 수 있는 기회를 제공하여 교사가 자존감을 키우고, 교육에 관한 긍정적이고 적극적인 생각을 갖도록한다.
5. 교사가 직무교육, 승급교육 등의 보수교육을 받을 수 있도록 한다.
6. 보육 관련 주제로 자체 세미나를 개최하고 토론을 통해 프로그램을 질적으로 향상시킨다.
7. 반별 연구수업을 통한 동료, 자율장학을 실시해서 수업의 질을 향상시킨다.
8. 외부기관 연수나 학술대회에 참여한 후 보육현장에 직접 활용할 수 있는 자료를 동료 교사끼리 공유하고 연수한다.
9. 선임교사를 지정하여 관리감독, 자가점검 체크리스트 등의 방법으로 아동학대예방교육에 힘을 쏟는다.

다음은 우리 어린이집에서 시행하고 있는 교사교육 '교사채움' 내용이다.

교사채움 : 체계적이고 효과적인 교사 교육을 말한다.
'Teacher Education'이란, 교사 양성 및 훈련의 총칭이다.
이 시대가 필요로 하는 보육교사는 인공지능이 대신하거나 가르쳐 줄 수 없는 역량인 전문적 자질, 의사소통, 인성, 창의성, 관계맺기, 공동체성을 자신의 삶과 인격을 통해 가르칠 수 있는 사람이다.
그러므로 교사는 지식이나 기술보다 지혜라는 가치를 추구하는 전문가로 거듭나야 한다.

2) 교사채움 분야별 연수주제

구분	연수 주제	확인
전문적 자질	아동권리선언 및 영유아 보호법 숙지 확인	3월
	① 보육과정 수립(일과운영과 보육일지) - 원감과 원장의 feedback	수시
	실습 > 심폐소생술	연 1회
	의무교육 및 직무교육(육아종합센터)	수시/3년
	교사간 수업장학 및 평가(상반기)	연 1회
	개별적 관련 자격, 이수증 취득 확인	수시
의사소통	부모와의 상담기법 교육 이수 및 평가	연 1회
	Interaction 관련 서적 읽고 평가 제출	연 1회
	원장의 실시간 Interaction 관찰 평가	수시

인성 (개인적자질)	신체적 건강(건강검진, 보건증 확인)	연 1회
	원만한 이해관계 - 교사 간 건의사항, 불만사항 집계 평가	수시
	아동학대 예방교육	매월 1회
	정신적, 도덕적 건강 - 교사회의 상정 시 상식 선의 범위	수시
창의성	아동학대교육(인형극) - 하반기	연 1회
	교재교구개발, 전시회, ④ 공모전 참여 - 수시 집계	수시
관계맺기 (힐링)	⑤ 교직원 원내 힐링 프로그램	수시
	교직원 센터 힐링 프로그램	수시
	단체톡의 상호간의 감사 인사 메시지 빈도	수시
공동체성	공동작업의 참여도 및 기여도 평가 - 수시 집계	수시
	업무에 관해 새로운 아이디어를 제시 - 수시 집계	수시

교사채움 용어 정리

상호작용

2명 이상의 만남에서 서로 관련되는 과정과 방식으로 의견 등을 주고 받는 과정

전문적 자질

보육 수행에 있어 영유아 발달과정과 보육 교사의 교육기술, 태도(인성)는 전문적 자질의 귀중한 교사

힐링프로그램

어린이집에서 다양한 프로그램을 계획할 때, 보육교직원의 직무스트레스 및 상호간 정서적 교류와 심리작 부담을 줄여 질높은 보육을 할 수 있도록 하는 수준 높은 수단이라고 볼 수 있다.

경위서 : 어떤 일이나 사건, 사고가 발생했을 때 그 시작부터 끝까지 일이 벌어진 경위를 작성하는 문서

교사교육 시기

3월 회기 시작으로, 수시로 시행하며, 교사교육 이후 평가는 2월 중 실시

교사교육에 대한 방법 안내 : 교사교육에 대한 방법과 절차를 1월 중 사전 공지한 후 2월 중 오전, 오후에 걸쳐 '교사채움' 안내와 절차를 설명

다음은 교사채움의 6가지 분야별 연수 주제에 대해 각 분야의 정의와 필요한 전문적 자질의 종류를 나열했다.
교사체움이란 우리 원만의 독특한 교사교육 양식을 지지하는 6개의 기둥이라고 할 수 있다.
교사는 각 항목별로 체크해 보면서 필요한 자질이 무엇인지, 필요한 자질을 유지하기 위해 해야 반드시 할 일이 무엇인지 스스로 생각할 수 있다.

전문적 자질

없는 것을 채워서 새로운 것을 만드는 것이 아니라 이미 아이에게 있는 것을 행복하게 꺼내 쓸 수 있도록 도와주는 것~ 그것이 진정한 '교사의 자질'입니다.
보육교사로서 바른 양육방법을 알고, 생각하고. 실행해 나간다는 것은 전문적 자질을 위한 노력이 함께 수행되어야 합니다.

1) 영유아 발달단계 알기
2) 나는 어떤 교사인가?
3) 노력의 흔적(반성적 사고)

작성자 : 원장

① 보육일지 : 매일 작성하며 매주 월요일 퇴근 전
② 관찰일지 : 매월 첫 주 월요일 퇴근 전
③ 적응일지 : 매일 작성하며 매주 월요일 퇴근 전
④ 개인서류 : 매월 첫 주 월요일 퇴근 전
⑤ 교사 간 수업 장학 및 평가(상반기)
⑥ 개인 보육 관련 자격증 및 이수증(의무교육이나 어린이집 연수 제외)

해당번호	날 짜	교사명	평가 내용 (지연 일수)	비고

의사소통

빠르게 변화하는 시대에서 중요한 건 상호작용입니다. 특히 영유아 시기에서 언어의 힘은 놓칠 수 없습니다.
"We can see as much as we know."

1) 부모와의 상담기법
2) Interaction
작성자 : 원장

① 부모와의 상담기법 교육 이수 및 평가
② Interaction 관련 서적 읽고 평가 제출
③ 원장의 실시간 Interaction 관찰 평가

해당번호	날 짜	교사명	평가 내용 (지연 일수)	비고

인성

'나'도 알아야 하지만 '우리'도 알아야 합니다. '우리'가 행복하게 살아가는 데 필요한 것 바로 인성입니다. 교사의 바른 인성이 아이 평생에 걸쳐 큰 자신이 됩니다.
"과연 나는 어떤 인성을 가지고 있나요?"

1) 건강한 인성
2) 원만한 이해관계
3) 정신적, 도덕적 인성
작성자 : 원장

① 신체적 건강(건강검진, 보건증 확인)
② 원만한 이해관계 - 교사 간 건의사항, 불만사항 집계 평가 - 양식
③ 정신적, 도덕적 건강 -교사회의 상정 시 상식 선의 범위 -교사회의록

해당번호	날 짜	교사명	평가 내용 (지연 일수)	비고

창의성

양육자의 마음가짐에 따라 아이 생각에 창의성의 불을 켜줄 수 있습니다. 우리 아이를 창의 & 융합형 인재로 만드는 것은 이 시대의 인재상입니다.

4차 산업혁명의 불이 켜진 지 오래되었습니다! 급격하게 변화하는 시대 속에서 우리의 일자리를 AI에게 내어줄 수 없습니다!!"

1) 아동학대 인형극
2) 교재교구 개발, 공모전 노하우 공유

작성자 : 원장

① 아동학대교육(인형극) - 결과기록(하반기)
② 교재교구개발, 전시회, 공모전 참여 - 수시 집계

해당번호	날 짜	교사명	평가 내용 (지연 일수)	비고

관계맺기

우리들의 관계 맺기는~ 관계를 만들기보다는 켜켜이 쌓아가는 것이 필요합니다.
그러기 위해서는 상처를 치유하는 '적절한 거리'가 필요할 수도 있겠습니다.

1) 교직원 원내 힐링 프로그램
2) 교직원 센터 힐링 프로그램
3) 단체톡에서 상호간의 감사 인사 메시지 빈도

작성자 : 원장

① 교직원 원내 힐링 프로그램
② 교직원 센터 힐링 프로그램
③ 단체톡의 상호간의 감사 인사 메시지 빈도

해당번호	날 짜	교사명	평가 내용 (지연 일수)	비고

공동체성

공동체성은 사회 운명이나 생활, 목적 따위를 같이 하려고 하는 집단이 갖는 성질입니다.
"쥐고 있는 손을 펴면, 무엇이든 잡을 수 있습니다."

1) 공동작업의 참여도 및 기여도 평가
2) 업무에 관해 새로운 아이디어를 제시
작성자 : 원장

① 공동작업 참여도 및 기여도 평가
② 업무에 관한 새로운 아이디어 제시

해당번호	날 짜	교사명	평가 내용 (지연 일수)	비고

평가, 교직원 면담 및 벌점, 기타
① 교직원 면담
② 벌점 및 경위서(경위서 - 5점, 확인서 - 3점)

해당번호	날 짜	교사명	평가 내용 (지연 일수)	비고

교사채움 평가배점표 양식

항 목	배점	비고
1. 전문적 자질	25	
아동권리선언 및 영유아 보호법 숙지 확인	5	
보육과정 수립(일과운영과 보육일지) - 원감과 원장의 feedback	5	
실습 > 심폐소생술	2	
의무교육 및 직무교육(육아종합센터)	3	
교사 간 수업장학 및 평가(상반기)	5	
개별적 관련 자격, 이수증 취득 확인	5	
2. 의사소통	10	
부모와의 상담기법 교육 이수 및 평가	4	
Interaction 관련 서적 읽고 평가 제출	3	
원장의 실시간 Interaction 관찰 평가	3	
3. 인성(개인적 자질)	15	
신체적 건강(건강검진, 보건증 확인)	3	
원만한 이해관계 - 교사 간 건의사항, 불만사항 집계 평가	4	
아동학대 예방교육	4	
정신적, 도덕적 건강 - 교사회의 상정 시 상식 선의 범위	4	
4. 창의성	10	
아동학대교육(인형극) - 결과기록(하반기)	5	
교재교구개발, 전시회, 공모전 참여 - 수시 집계	5	
5. 관계맺기(힐링)	15	
교직원 원내 힐링 프로그램	5	
교직원 센터 힐링 프로그램	5	
단체톡의 상호간의 감사 인사 메시지 빈도	5	
6. 공동체성	10	
공동작업의 참여도 및 기여도 평가 - 수시 집계	7	
업무에 관해 새로운 아이디어를 제시 - 수시 집계	3	
7. 교직원 면담(자기평가도) - 벌점 및 기타	15	
총 점	100	

교사채용 평가배점표

평가배점은 1~2월 실시한다

항 목	배점												합계
1. 전문적 자질	25												
아동권리선언	5												
보육과정 수립	5												
실습>심폐소생술	2												
의무교육	3												
수업장학	5												
자격, 이수증	5												
2. 의사소통	10												
상담기법 교육 이수	4												
Interaction 서적 읽고 평가	3												
원장의 실시간 관찰 평가	3												
3. 인성(개인적 자질)	15												
건강검진, 보건증	3												
원만한 이해관계	4												
아동학대 예방교육	4												
정신적, 도덕적 건강	4												
4. 창의성	10												
인형극	5												
공모전 참여	5												
5. 관계맺기(힐링)	15												
힐링 프로그램	5												
센터 힐링 프로그램	5												
단체톡 메시지 빈도	5												
6. 공동체성	10												
공동작업의 참여도	7												
새로운 아이디어를	3												
7. 교직원 면담- 벌점 및 기타	15												
총 점	100												

⊙ '교사채움'의 전문적 자질 > 교사 간 장학 및 평가(상반기) - 평가 중 '교사 장학'

- 교사 간 장학은 상반기 4월 중에 이루어진다.

3) 우리 어린이집의 교사장학 진행과정

① 교사장학 사전 회의를 진행한다.(일시 및 주제에 대해)

② 교사 학 안내문 배부 및 동영상 수업 촬영

교사 스스로 주제에 맞는 수업영상을 준비한다.

도입, 본론, 결론 순으로 수업을 진행하며 30분이 넘지 않는다.

수업 촬영 시 원아의 돌발 상황에 유연하게 대처하는 모습도 장학의 의미라 할 수 있으므로, 교사 주도 수업은 지양한다.

혼자 동영상 촬영이 어려운 경우 파트너의 도움을 받는다.

③ 동료 장학 실행

- 교직원과 협의 하여 장학 날짜를 지정한다.(하루 2~3명 지정)
- 교사장학 대상자는 모든 교직원에게 장학에 대한 이행과정과 평가를 설명 후 교사장학을 실행한다.

④ 장학 평가

관련 서식 '교수법 관찰 및 지도'를 모든 교직원의 작성으로 마무리 한다.

추후 원장은 교직원의 평정표를 취합하여 개별 평균으로 기록한다.

〈관련 서식 - 교사장학 안내문〉

'교직원 장학' 안내

2022년 상반기 교직원 평가가
4월 18일~4월 22일까지 이루어집니다.
다누리 교직원은 원하는 날짜와 별도의
양식으로 교사평가를 준비하여 주시기
바랍니다.

▷내 역 : 교직원 평가
▷일 시 : 2022년 월 일 ~ 월 일

2022년 3월 16일
원장 강원화

'교직원 장학' 일정

▷내 역 : 교직원 평가 일정
▷일 시 : 2022년 4월 18일 ~ 4월 22일

아래 일정과 같이,
교직원 장학을 신청합니다.

▷내 역 : 교직원 평가
▷일 시 : 2022년 월 일 ~ 월 일

2022년 3월 16일
원장 강원화

교수법 관찰지도

일 시	20 년 월 일	반명	반
주제		교사명	(확인)
참 관 자	(확인)	소 요 시 간	10 : 30 ~ 11 : 00 까지
활동에 대한 내용 및 방법 (교사 기입)			

관찰내용	평 가 항 목	평 정 점				
		부정적		보통		긍정적
교사의 질문, 준비도, 흥미도, 인지도, 목표 달성 및 아동에 대한 태도	1. 수업주제 및 목표와의 연계성	1	2	3	4	5
	2. 동기유발	1	2	3	4	5
	3. 아동 반응시간	1	2	3	4	5
	4. 질문에 대한 교사의 반응	1	2	3	4	5
	5. 아동의 우발적인 질문에 대한 민감성	1	2	3	4	5
	6. 아동상호간의 질문 여부	1	2	3	4	5
	7. 교사질문 형태	1	2	3	4	5
	8. 긍정적 강화 여부	1	2	3	4	5
	9. 수업의 마무리	1	2	3	4	5
	10. 활동에 대한 교사의 준비도 - 환경 및 교재교구, 시청각자료 등	1	2	3	4	5
평가 및 지도내용						
대안 및 개선점						

교수법 관찰 (교사)

일 시	2022년 4 월 21 일	반 명	나누리 반
주 제	색 밀가루 반죽놀이	교 사 명	(확인)
참 관 자		소 요 시 간	: ~ : 까지

활동에 대한 내용 및 방법 (활동교사 기입)	
	1.밀가루 반죽을 탐색해본다. 2.밀가루 반죽을 만져보고 느낌을 탐색한다. 3.식용색소를 넣어 밀가루 반죽을 만들어본다. 4.원하는 모양의 틀을 찍어본다. 5.밀가루 반죽으로 자유롭게 놀이해본다. ○밀가루 반죽시에 식용유 첨가!

관찰내용	평 가 항 목	평 정 점 45점				
		부정적		보통		긍정적
교사의 질문, 준비도, 흥미도, 인지도, 목표달성 및 아동에 대한 태도	1. 수업주제 및 목표와의 연계성					
	2. 동기유발	1	2	3	~~④~~	⑤
	3. 아동 반응시간	1	2	③	4	5
	4. 질문에 대한 교사의 반응	1	2	③	4	5
	5. 아동의 우발적인 질문에 대한 민감성	1	2	③	4	5
	6. 아동상호간의 질문 여부	1	2	③	4	5
	7. 교사질문 형태	1	2	③	4	5
	8. 긍정적 강화 여부	1	2	~~③~~	④	5
	9. 수업의 마무리	1	2	③	4	5
	10. 활동에 대한 교사의 준비도-환경 및 교재교구,	1	2	3	④	5
	시청각자료 등	1	2	③	4	5
	11. 아동의 흥미도	1	2	3	④	5
	12. 아동 및 교사의 인지도	1	2	③	4	5
	13. 보육활동에 대한 목표달성	1	2	3	④	5

전체 평가	영아들의 흥미도가 높은 밀가루 반죽놀이를 주제로 선정했던점이 일단 장점으로 보여졌고 미술가운까지 활동에 대한 준비가 잘 된것 같습니다. 영아들이 수업하는 동안 자유로운 탐색과 관찰이 이루어진것 같지 않아 아쉬움으로 남습니다.
대안 및 개선점	밀가루 반죽을 오감매트 가운데에 자리를 정해서 정작 수업을 진행할 때는 소량의 반죽만을 영아가 만져볼수 있었고 식용색소가 용기통째로 영아 손에 있던점이 아쉬웠습니다. 교사가 미리 색소를 넣은 반죽을 제공하는게 좋을것 같습니다.

교수법 관찰 (교사)

일　　시	2022년　4　월　18 일	반　　명	참누리 반
주　　제	애벌레와 나비를 꾸며요	교 사 명	(확인)
참 관 자		소 요 시 간	16 : 45　~　16　:　50　까지

활동에 대한 내용 및 방법 (활동교사 기입)	**영 역:미술활동** **목 표:**봄의 곤충인 나비의 탄생과정을 알아보고 캡슐물감을 이용하여 탐색해보고 꾸며본다. **□도입** 준비물: 배고픈 애벌레 동화 영상,빔프로젝터,노트북 1. 손유희를 통하여 주의집중을 한다. 2. 간략하게 동화에 대하여 설명을 한 후 동화 [배고픈 애벌레] 동화감상을 한다. **□전개** 준비물: 캡슐물감 만들기kit 포리시트,미술가운,지퍼백,나비스티머,모양스티커,전지, 눈알스티커 1.캡슐물감을 만드는 방법을 소개한다. 2.영아들과 함께 캡슐물감을 만들어 본다. 3.캡슐물감이 변화되는 모습을 관찰해보고 만들어진 캡슐물감의 질감을 탐색하며 느껴본다. 4.캡슐물감으로 애벌레를 꾸며본다. 5.지퍼백에 캡슐물감을 넣고 영아들이 물감을 터트리며 다양하게 탐색을 한다. 6. 캡슐물감으로 봄동산을 꾸미고 나비스티커와 모양스티커를 이용하여 꾸며준다. **□마무리** 1.영아들이 꾸며본 애벌레와 나비를 친구들과 함께 비교하며 감상해본다. 2.영아들과 함께 정리를 하며 오늘의 활동에 대하여 간단하게 이야기를 나눈다.

관찰내용	평 가 항 목	평 정 점 60점				
		부정적		보통		긍정적
교사의 질문, 준비도, 흥미도, 인지도, 목표달성 및 아동에 대한 태도	1. 수업주제 및 목표와의 연계성	1	2	3	4	(5)
	2. 동기유발	1	2	3	4	(5)
	3. 아동 반응시간	1	2	3	4	(5)
	4. 질문에 대한 교사의 반응	1	2	3	(4)	5
	5. 아동의 우발적인 질문에 대한 민감성	1	2	3	(4)	5
	6. 아동상호간의 질문 여부	1	2	3	(4)	5
	7. 교사질문 형태	1	2	3	4	(5)
	8. 긍정적 강화 여부	1	2	3	4	(5)
	9. 수업의 마무리	1	2	3	4	(5)
	10. 활동에 대한 교사의 준비도-환경 및 교재교구, 시청각자료 등	1	2	3	4	(5)
		1	2	3	4	(5)
	11. 아동의 흥미도	1	2	3	4	(5)
	12. 아동 및 교사의 인지도	1	2	3	(4)	5
	13. 보육활동에 대한 목표달성	1	2	3	(4)	5

전체 평가	수업준비도와 재료가 다양하게 준비되어 장학발표라는 기숩정이 된것 같고 그동안 수업이 봐왔던 봄곤충의 주제인 애벌레와 나비에서 처음 접해 본 재료를 이용하여 캡슐을 만들어 애벌레로 표현하는 점이 새로웠습니다. 수업이 전개 되면서 영아들이 캡슐 물감을 지퍼백에 담아 마음껏 탐색하고 활동하는 모습이 자유로워 보여서 좋았습니다.
대안 및 개선점	다양한 재료와 그동안 접해보지 못했던 활동재료가 장점이 되었지만 결과물에서는 영아들에게 두고두고 볼수 없었던 점이 아쉽습니다.

교수법 관찰 (교사)

일 시	2022년 4 월 21 일	반 명	나누리 반
주 제	색 밀가루 반죽놀이	교 사 명	(확인)
참 관 자		소 요 시 간	: ~ : 까지
활동에 대한 내용 및 방법 (활동교사 기입)	1.밀가루 반죽을 탐색해본다. 2.밀가루 반죽을 만져보고 느낌을 탐색한다. 3.식용색소를 넣어 밀가루 반죽을 만들어본다. 4.원하는 모양의 틀을 찍어본다. 5.밀가루 반죽으로 자유롭게 놀이해본다.		

관찰내용	평 가 항 목	평 정 점 51점				
		부정적		보통		긍정적
교사의 질문, 준비도, 흥미도, 인지도, 목표달성 및 아동에 대한 태도	1. 수업주제 및 목표와의 연계성					
	2. 동기유발	1	2	3	4	⑤
	3. 아동 반응시간	1	2	3	④	5
	4. 질문에 대한 교사의 반응	1	2	3	④	5
	5. 아동의 우발적인 질문에 대한 민감성	1	2	3	④	5
	6. 아동상호간의 질문 여부	1	2	3	④	5
	7. 교사질문 형태	1	2	3	④	5
	8. 긍정적 강화 여부	1	2	3	④	5
	9. 수업의 마무리	1	2	3	④	5
	10. 활동에 대한 교사의 준비도-환경 및 교재교구,	1	2	3	④	5
	시청각자료 등	1	2	③	4	5
	11. 아동의 흥미도	1	2	③	4	5
	12. 아동 및 교사의 인지도	1	2	3	④	5
	13. 보육활동에 대한 목표달성	1	2	3	④	5
전체 평가	* 활동에 대한 내용 및 방법은 모두 들어가 있는 놀이여서 교사의 노력이 보였으나 교사가 접해보지 못한 놀이를 준비하였다는 모습도 보여지는 영상이였습니다.					
대안 및 개선점	* 밀가루반죽의 농도가 놀이에 맞지 않았기에 아쉬웠음. * 색소 사용에 대해 좀 더 알고 있었더라면 좋았을텐데.. * 상호작용이 아직은 부족함이 보이고 교사가 즐거워하지 않는 모습이 보임.					

교사의 즐거움이 아이들의 즐거움을 더해준다는 것을 이번 영상을 통해 느꼈으면 좋겠습니다.

우리 어린이집 동료 장학 모습

'교사채움'의 창의성 > 아동학대 인형극 - 결과기록(하반기)에 대해 소개한다.

아동학대 인형극

하반기 10~11월 사이 진행

1. 인형극 진행과정

① 아동학대 인형극 사전 회의를 진행한다.(1차회의)

② 2차회의를 진행한다.(업무분장)

창작대본을 맡은 교사는 대본의 완성 기간을 알려준다.

대본이 완성되면 업무분장에 맞춰 준비물 및 음향, 설치, 대사.... 등의 연습을 진행한다.

사전 리허설을 진행한다.

③ 학부모에게 창작인형극을 공지한다.

④ 아동학대 인형극 실행

약속된 일시에 아동학대 인형극을 실시한다.

아동이 잘 볼 수 있도록 자리를 배정한다.

아동학대 인형극을 관람한 아동에게 인형극 평가를 한 후 선생님께 감사인사를 나눌 수 있도록 지도한다.

⑤ **아동학대 인형극을 가정과 연계한다.**

촬영한 동영상을 가정에 보내 아이들이 다시 볼 수 있도록 유도하고 아동학대 없는 사회가 될 수 있도록 노력을 기울인다.

〈 아동학대 인형극 첫 장면 〉

〈아동학대 인형극 가정과의 연계 안내 〉

창작인형극] 우리는 마음 지킴이

도화다누리 가족여러분,
사랑합니다^^
도화다누리 교직원들이 우리
아이들의 눈높이에 성안전에
대해 전달하고자 창작인형극을
제작하여 오늘, 아이들과 함께
인형극을 관람하는 시간을
가졌습니다. 그리고
학부모님께서도 함께 보시며
아이들과 이야기 나누시는 것도
좋을 것 같아 영상을 공지를
통해 보내드립니다. 많이
고민하고 노력해서 만든 창작
인형극이오니 관심있게
관람해주시면
감사하겠습니다^^ 영상을 통해
성학대 뿐만아니라 어떠한
아동학대도 없는, 아이들이
안전한 세상을 만드는 작은

교사 자기평가표

영역	평 가 항 목	점수
효과적인 의사소통하기	1.동료와 효과적으로 의사소통을 하는가?	5 4 3 2 1
	2.외부 전문가와 효과적으로 의사소통을 하는가?	5 4 3 2 1
	3.학부모와 효과적으로 의사소통을 하는가?	5 4 3 2 1
	4.아동과 효과적으로 의사소통을 하는가?	5 4 3 2 1
자신감 찾기	1.아동과 활동할 때 편안함을 느끼는가?	5 4 3 2 1
	2.부모와 대화할 때 편안함을 느끼는가?	5 4 3 2 1
	3.자신이 아동을 보호할 능력이 있다고 생각하는가?	5 4 3 2 1
	4.교사 회의시 회의에 활발히 참여하고 있는가?	5 4 3 2 1
	5.원내 갈등이 있다면, 이를 해결하고자 노력하는가?	5 4 3 2 1
	6.쉽게 다른 전문가와 상호작용하는가?	5 4 3 2 1

영역	평 가 항 목	점수
자기 자신 이해하기	1.자신에 대하여 반성적이며 분석적인가?	5 4 3 2 1
	2.자신이 학습자로서의 입장에도 있음을 이해하는가?	5 4 3 2 1
	3.개인적인 문제에 스스로 대처하고 해결하려고 노력하는가?	5 4 3 2 1
	4.아동의 위기에 대처하고 그 위기를 해결할 수 있는가?	5 4 3 2 1
	5.자아존중감을 가지고 있으며 자신을 어린이집 운영의 중요한 부분으로 생각하고 있는가?	5 4 3 2 1
다른 사람 존중하기	1.출신, 성장 배경 및 사회적, 경제적 배경이 다른 사람(아동, 부모 및 동료)들을 잘 이해하는가?	5 4 3 2 1
	2.동료의 입장을 잘 이해하고 지지하는가?	5 4 3 2 1
	3.다른 사람의 의견과 느낌을 존중하는가?	5 4 3 2 1
전문적 성장에서의 만족	1.어려운 일을 성취하고 만족감을 느끼는가?	5 4 3 2 1
	2.전문가 단체와 협의 등에 참석하는가?	5 4 3 2 1
	3.동료간에 협동적인 활동을 하는가?	5 4 3 2 1
	4.새로운 프로그램을 계획하고 추진하기를 좋아하는가?	5 4 3 2 1
	5.새로운 역할과 책임을 기꺼이 맡고자 하는가?	5 4 3 2 1

자신감 찾기	7.독립성과 적극성을 보이는가?	5 4 3 2 1
	8.자신의 판단을 존중하는가?	5 4 3 2 1
	9.변화에 대처할 능력이 있는가?	5 4 3 2 1
아동 이해하기	1.아동에 대하여 적절한 기대를 하고 있는가?	5 4 3 2 1
	2.아동의 다양한 발달단계를 이해하는가?	5 4 3 2 1
	3.아동의 개인적 요구에 민감한가?	5 4 3 2 1
	4.훌륭한 관찰기술을 가지고 있는가?	5 4 3 2 1
	5.사회성, 인지, 정서, 신체 발달간의 연관성을 이해하는가?	5 4 3 2 1
	6.아동의 성장발달에 여러 요인이 영향을 미친다는 것을 이해하는가?	5 4 3 2 1

학습관 갖기	1.운영자나 동료와 구별되는 자기 나름의 학습관을 가지고 있는가?	5 4 3 2 1
	2.확고하고 발전된 교육관을 가지고 있는가?	5 4 3 2 1
적절한 자기 장학 평가 하기	1. 조언이 주어지지 않을 때 자기 장학활동에 관련하여 자신의 생각을 표현할 수 있는가?	5 4 3 2 1
넓은 관점 갖기	1.영유아교육의 전반적인 프로그램 및 지역사회와의 관계 속에서 자신의 위치와 하는 일을 파악하고 있는가?	5 4 3 2 1
	2.자신의 직업에 대하여 충실하며 중요성을 부여하고 있는가?	5 4 3 2 1

원장 평가표

반 명			교 사 명				
사 항		평 가 내 용	원장평가				
			5	4	3	2	1
1	모	용모가 단정하고 인상이 밝은가?					
		평소 건강관리를 잘 하는가?					
		옷차림은 교사 직책에 알맞게 단정하고 깔끔한가?					
		음성이 분명하고 말씨가 공손한가?					
2	근무 태도	출근 시간이 정확하며 맡은 바 직무를 열심히 수행하는가?					
		근무시간에 사적인 업무를 보지 않은가?					
		근무시간 동안 휴대전화를 하지 않는가?					
		외출 시 원장의 허락을 받고 시간을 엄수하는가?					
		동료 간 원아와 존칭어 및 적절한 언어를 사용하는가?					
3	아동과의 상호작용	자유놀이 시간에 아동과 함께 놀이하는 시간이 많은가?					
		아동에게 따뜻하게 대하고 개별적인 관심을 보이는가?					
		적절한 지도와 자상함을 동시에 보이는가?					
4	교실 환경 구성	교실 영역의 교구 교재는 충분한가? 자주 교체해 주는가?					
		교육 주제에 맞는 게시물, 아동작품 전시, 활동결과물 전시 등에 신경을 쓰는가?					
5	프로그램 준비 및 진행	연령에 적절한 교육 프로그램을 구상하는가?					
		교육준비를 사전에 충실하게 하는가?					
		교육활동에서 창의적인 시도를 하는가?					
6	교사간 의 관계	교사 간 협조해야 하는 상황에서 양보를 잘 하는가?					
		교사 간의 관계에서 인정과 신뢰를 받고 있는가?					
7		학부모로부터 신뢰와 지지를 받고 있는가?					
		학부모와의 관계가 원활하고 안정적인가?					
8	업무분담 및 수행능력	공동의 업무에서 솔선수범하는가?					
		분담된 업무를 성실히 수행하는가?					
		정확하고 신속하게 업무를 처리하는가?					
9	서류업무 (일지 및 보고서)	형식적인 기록이나 평가에 그치지 않고 내용을 갖춘 평가와 보고를 하는가?					
		보고서 및 각 종 일지 등을 기일 내에 제출하는가?					
10	주인의식 및 주도성	회의나 의사 결정에 필요한 적절한 의견을 내놓는가?					
		어린이집 운영 전반에 관한 주인 의식이 있는가?					
11	전문성 자기장학	원내 세미나 전달연수 시 적극적으로 연구 참여하는가?					
		외부 보육 관련 재교육 교사교육이나 학술세미나 등에 자발적으로 참여하는가?					
		교재교구개발, 전시회 등에 적극적으로 참여하고 연구하는가?					
합 계							

교직원 면담기록

날 짜 : 년 월 일 이 름 (인)
원 장 (인)

면담내용									
면담자의 사후평가	**내용**		**5**	**4**	**3**	**2**	**1**	**참조**	
	업무 능력	**프로그램 운영**							
		환경구성							
		영유아관리							
		부모관리							
	직무 만족도	**자기관리능력**							
		상급자 의식도 및 조직관리 능력							
		근무태도							

가장 성과 있거나 발전한 일(교사기록)	**가장 어려웠던 일(교사기록)**
어린이집에서 가장 좋은 점(교사기록)	**원장에게 바라거나 어린이집의 개선할 점(교사기록)**

평가	

2. 포상 및 징계 규정 사항

1) 포상

◉ 포상 사유

다음 각 호에 해당하는 종사자에 대하여 이를 심사하여 포상할 수 있다.

1. '교사채움'의 교직원 합산에서 높은 배점으로 능력이 우수함을 인정받은 경우
2. 업무상 유익한 연구 또는 제안으로 어린이집 및 보육사업 발전에 공헌한 경우
3. 공모전 및 각종 대회에 참석하여 어린이집의 명예를 빛낸 경우
4. 재해를 미연에 방지하거나 긴급사태를 방지하는 데 공로가 있다고 인정되는 경우
5. 어린이집의 대소 행사에서 공로가 인정되는 경우
6. 인사위원회의 추천과 공로가 인정된 경우

◉ 포상 시기

포상 시기는 회기가 끝나는 시점 또는 필요에 따라 행한다.

◉ 포상 방법

포상은 인사위원회의 만장일치로 결정한다.

상장과 상품 또는 상금으로 구분하여 시행할 수 있다.

공적의 경중에 따라 추가로 연차를 1일~5일 제공할 수 있다.

2) 징계

◉ 징계 사유

다음 각 호에 해당하는 종사자에 대하여 이를 심사하여 징계할 수 있다.

1. 부정 및 허위 등의 방법으로 채용된 자
2. 업무상 비밀 및 기밀을 누설하여 어린이집에 피해를 입힌 자
3. 물리적, 정서적 아동학대 및 아동에게 성적 수치심을 주는 성희롱 등의 아동학대를 한 자
4. 어린이집의 명예 또는 신용에 손상을 입힌 자
5. 어린이집의 규율과 상사의 정당한 지시를 어겨 질서를 문란하게 한 자
6. 정당한 이유 없이 어린이집의 물품 및 금품을 반출한 자
7. 직무를 이용하여 부당한 이익을 취한 자(현물, 스승의 날 선물 등)
8. 어린이집이 정한 복무규정을 위반한 자
9. 직장 내 성희롱 행위를 한 자
10. 직장 내 괴롭힘 행위를 한 자
11. 기타 이에 준하는 행위로 직장질서를 문란하게 한 자

◉ 징계 규정의 공유와 서명

1. 징계 여부 및 종류는 징계 사유와 그 과오 및 비위의 정도, 횟수, 어린이집 경영 및 질서 유지에 미치는 정도, 기여도 및 포상이력 등을 종합적으로 감안하여 인사위원회를 통해 결정한다.

2. 징계를 하는 경우 사전에 당해 종사자로 하여금 구두나 서면으로 충분히 소명할 기회를 제공 하며, 그 내용이 타당하다고 인정될 경우에는 정상을 참작하여 징계의 수위를 결정한다.

위 사항을 확인하였기에 포상 및 징계 규정에 서명 날인합니다.

2021년 월 일

교직원 서명

◉ 우수교사 포상 사례

'포상 및 징계 규정'에 따른 포상 사항		
	담 당	**원 장**
포상 명	**우수교사 상**	
포상사유	2021년 '교사채움'에서 우수한 성적을 거두었음	
일 시	2021 년 월 일	
포상 교직원		
포상 내용	위 교직원은 영·유아 보육에 대한 투철한 사명감과 타의 모범이 되고, 2021년 '교사채움'에서 우수한 성적을 거두어 본 어린이집의 보육발전에 기여한 공이 인정되어 추가 연차(일), 상품권(원)으로 포상한다.	
과정 사진 및 증빙자료 과정 사진 및 증빙자료	**증빙 자료**	**포상 사진**

위 내용에 대한, 어린이집의 포상에 감사하며 항상 최선을 다하겠습니다.

2021년 월 일

교직원 서명

교사평가 '교사채움' 을 마무리한 후 평가 방법에 대해 소개한다.

교사채움 평가

기간 및 시기 : 1년 동안의 '교사채움'이 마무리가 되는 시점인 1~2월 사이 이뤄진다.

① 우리 어린이집의 '교사채움' 평가 과정
② 교사 자기 평가 작성
③ 원장의 교사 평가 작성
④ 교사 면담 일정을 공지 후 교직원 면담 기록지 작성
〈관련 서식- 교사자기평가표〉

3) 교사교육 '교사채움'에 대한 원장의 평가와 소감

평가는 모든 과정이 끝난 후 이루어지는 것이 패턴이라고 할 수 있겠다. 그러나 우리 어린이집의 교사교육은 수시로 이루어지며, 학기가 끝나는 시기에 평가가 이루어진다.
모든 교육과정이 교사의 전문성 향상과 어린이집에서 교사가 수행해야 하는 부분들로 계획을 잡고 있기 때문에 더욱 실용적이라 판단된다.
이 교사 평가 프로그램은 교사의 전문성 향상을 위해 고민한 노력의 결실이라고 생각하고 싶다. 교사 평가 프로그램 진행에서 중요한 세 가지를 아래와 같이 정리했다.

첫째, 주관성과 일관성이다.
교사평가의 근거는 지극히 원장의 주관이 들어갈 수밖에 없는 구조라 할 수 있다. 이 부분에 있어 원장의 객관성에 대해 모두 정확하게 설명하기 어려운 부분이 있다. 그래서 만든 프로그램이 교사채움이다. 원장의 객관성은 많은 부분이 확보되었으나 프로그램의 일관성 부분에 있어서는 앞으로도 수정하고 보완하는 일이 필요하다고 생각한다.

둘째, 교사의 잦은 이직이다.
교사교육의 주체는 교사들이다. 그러나 교사가 자주 이직을 한다면 아무리 훌륭한 프로그램을 확보하였더라도 무용지물이 되고 만다. 프로그램의 가치를 판단하는 할 수 없기 때문이다. 이 부분은 이 책을 출판하게 된 이유이기도 하다.

셋째, 적절한 예산 확보이다.
교사교육은 사전 예산이 필요하다. 우리 어린이집에 맞는 프로그램이라도 예산의 적절성을 생각하고 실행하여야 한다.

3. 교사교육

1) 교사힐링 프로그램의 목적

아이들에게 사회의 첫 학교 '어린이집' 그리고 그 어린이집에서 아동 다음으로 중요한 요인이 '보육 교사'이다. 이렇게 소중한 보육교사에게 보육은 점점 어려운 직업이 되어가고 있다.
아동학대, CCTV, 저출산, 어린이집의 유형, 원장의 보육 철학과 운영 방식, 맘카페 ... 등 주변의 많은 보육교사들이 이와 같은 다양한 문제로 스트레스를 받는 것이 현실일 것이다.
그러므로 보육교사에게 힐링은 꼭 필요하다.

그 이유는,
첫째 우리 어린이집에 보석 같은 아이들을 위함이요,
둘째 교사가 행복해야 아이들이 행복할 수 있기 때문이다.
그렇다면 교사를 행복하게 하는 우리 어린이집만의 교사 힐링프로그램을 소개하고자 한다.

① 교사힐링 프로그램의 매뉴얼을 규정하고 교직원과 공유한다.
② 교사힐링 연간을 계획하고 계획된 과정 속 경비의 예산을 수립한다.

교사힐링 프로그램 매뉴얼

1. 목적	보육교사의 스트레스 해소와 재충전을 통해 올바른 마음가짐을 지니며 영유아에게 양질의 보육 서비스를 제공할 수 있도록 하기 위함
2. 기간	수시
3. 원칙	전체 교사 또는 순번을 정해 돌아가며 소집단으로 구성하여 프로그램에 참여할 수 있도록 함 교사회의를 통해 다수가 원하는 프로그램 선정 오프라인, 온라인 등 상황에 따라 다양한 방식으로 진행
4. 기록	힐링 프로그램에 사용된 비용 및 프로그램을 통한 결과물을 모두 기록하여 보관
5. 보존연한	5년

교사 힐링 프로그램(관계맺기 및 관련용품)

구분	힐링과 정명	교육시기	내 용
원내 힐링	다누리 마음 +	수시	다양한 취미 공유 및 업무 외 자격증
	한낮의 데이트	연 2회	상반기 하반기 더 가까워지고 싶은 교직원과의 한낮의 깜짝 데이트
	나는 보육교사다!!	수시	교직원 앞치마 및 관련 용품 (품위 유지 비용)
	워크샵 및 세미나	연 2회	상반기 하반기 교직원 관계 맺기 및 이를 통한 교육과정 수립
외부 힐링	미추홀구 육아종합지원센터 교육	수시	교직원 힐링교육
	인천시 육아종합지원센터 교육	수시	교직원 힐링교육
주의사항	1. 마음 + 선택 시 교직원의 의견을 수렴하여 결정하고 민주적 방식으로 참석 유도 2. 교직원의 선택에 따라 다누리 마음 + 경우 장기 교육이 될 수 있음 3. 한 낮의 데이트 신청 시 하루 전 원장에게 보고하며, 차를 마실 때는 교사 일 인당 10,000원을 넘지 아니한다.(시간 엄수) 4. 외부교육 시 교사 힐링은 여비지급 제외임 5. 모든 힐링에는 계획서 및 영수증 첨부		

교사 힐링 프로그램(관계맺기 및 관련용품) 서식

<table>
<tr><td colspan="2" rowspan="2">교사 힐링 프로그램</td><td>담 당</td><td>원 장</td></tr>
<tr><td></td><td></td></tr>
<tr><td>힐링
과정명</td><td colspan="3"></td></tr>
<tr><td>목 표</td><td colspan="3"></td></tr>
<tr><td>일 시</td><td colspan="3">2022년 월 일 (시 분 ~ 시 분)</td></tr>
<tr><td>장 소</td><td colspan="3"></td></tr>
<tr><td>참여교사</td><td colspan="3"></td></tr>
<tr><td>내 용</td><td colspan="3"></td></tr>
<tr><td rowspan="3">과정사진
및 증빙자료</td><td>과정사진</td><td colspan="2">증빙자료</td></tr>
<tr><td></td><td colspan="2" rowspan="2"></td></tr>
<tr><td></td></tr>
<tr><td>평 가</td><td colspan="3"></td></tr>
</table>

<table>
<tr><td colspan="2" rowspan="2">교사 힐링 프로그램</td><td>담 당</td><td>원 장</td></tr>
<tr><td></td><td></td></tr>
<tr><td>힐링 과정명</td><td colspan="3">플리마켓 행사 및 신입 교직원 환영식</td></tr>
<tr><td>목 표</td><td colspan="3">플리마켓 준비로 애쓴 교직원들의 노고를 치하하고 새로 들어온 교직원을 환영한다.</td></tr>
<tr><td>일 시</td><td colspan="3">2022년 월 일 (시 분 ~ 시 분)</td></tr>
<tr><td>장 소</td><td colspan="3">제주 이야기</td></tr>
<tr><td>참여교사</td><td colspan="3"></td></tr>
<tr><td>내 용</td><td colspan="3">플리마켓을 준비하여 성공적으로 마친 교직원의 노고를 치하하고 새로 들어온 교직원 5명을 환영해 준다.</td></tr>
<tr><td rowspan="2">과정사진 및 증빙자료</td><td>과정사진</td><td colspan="2">증빙자료</td></tr>
<tr><td>
</td><td colspan="2">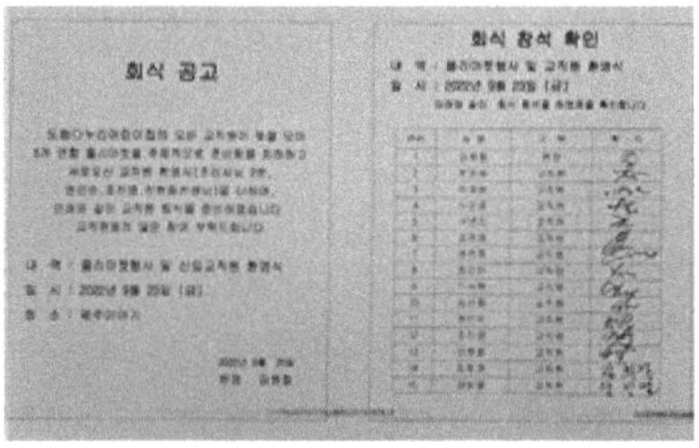

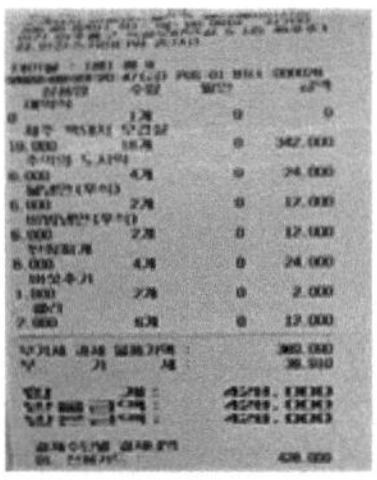</td></tr>
<tr><td>평 가</td><td colspan="3">5개 국공립어린이집의 연합으로 플리마켓을 준비했다. 성공적으로 마친 교직원의 노고를 치하하고 새로 들어온 교직원 5명을 환영하여 맞이했다.</td></tr>
</table>

교사 힐링 프로그램(관계맺기 및 관련용품) 서식

<table>
<tr><td colspan="2" rowspan="2">교사 힐링 프로그램</td><td>담 당</td><td>원 장</td></tr>
<tr><td></td><td></td></tr>
<tr><td>힐링
과정명</td><td colspan="3">다양한 문구를 써 보며 사방지에 작품을 만들어 본다.</td></tr>
<tr><td>목 표</td><td colspan="3">플리마켓 준비로 애쓴 교직원들의 노고를 치하하고 새로 들어온 교직원을 환영한다.</td></tr>
<tr><td>일 시</td><td colspan="3">2022년 월 일 (시 분 ~ 시 분)</td></tr>
<tr><td>장 소</td><td colspan="3">구립도화다누리어린이집</td></tr>
<tr><td>참여교사</td><td colspan="3">전체 보육교직원</td></tr>
<tr><td>내 용</td><td colspan="3">수묵 캘리로 다양한 문구를 써 보고 사방지에 작품을 만들어 본다.</td></tr>
<tr><td rowspan="2">과정사진
및 증빙자료</td><td>과정사진</td><td colspan="2">증빙자료</td></tr>
<tr><td>
</td><td colspan="2">
</td></tr>
<tr><td>평 가</td><td colspan="3">붓펜을 사용하여 다양한 문구를 써 본 후 자신만의 문구를 찾아 써 보았다. 사방지에 문구를 적어 넣으며 삶에 푯대가 되어 방향을 정해 주는 이정표를 만들었다고 하며 즐겁게 작품을 완성하였다.
다양한 문구를 적어보고 자신만의 문구를 찾아 사방지에 써 보았다. 자신의 생에 방향을 정해 주는 문구를 찾아 이정표를 만들어보았다. 교사들이 사방지에 쓴 문구를 만족해하며 흡족함을 느끼며 즐거움을 표현하였다.</td></tr>
</table>

교사 힐링 프로그램(관계맺기 및 관련용품) 서식

<table>
<tr><td colspan="2" rowspan="2">교사 힐링 프로그램</td><td>담 당</td><td>원 장</td></tr>
<tr><td></td><td></td></tr>
<tr><td>힐링 과정명</td><td colspan="3">플리마켓 행사 및 신입 교직원 환영식</td></tr>
<tr><td>목 표</td><td colspan="3">플리마켓 준비로 애쓴 교직원들의 노고를 치하하고 새로 들어온 교직원을 환영한다.</td></tr>
<tr><td>일 시</td><td colspan="3">2022년 월 일 (시 분 ~ 시 분)</td></tr>
<tr><td>장 소</td><td colspan="3">제주 이야기</td></tr>
<tr><td>참여교사</td><td colspan="3"></td></tr>
<tr><td>내 용</td><td colspan="3">플리마켓을 준비하여 성공적으로 마친 교직원의 노고를 치하하고 새로 들어온 교직원 5명을 환영해 준다.</td></tr>
<tr><td rowspan="2">과정사진 및 증빙자료</td><td>과정사진</td><td colspan="2">증빙자료</td></tr>
<tr><td>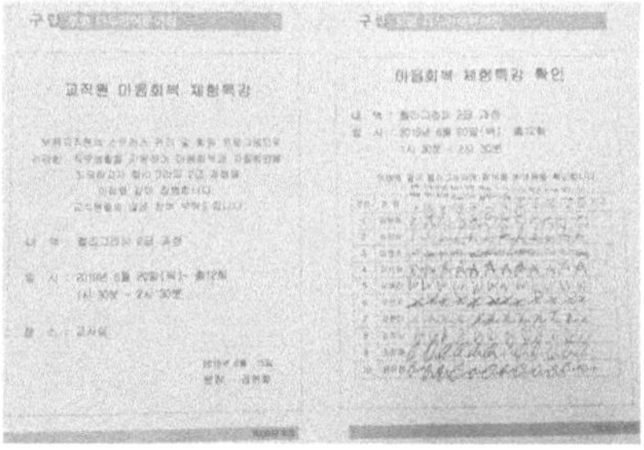</td><td colspan="2">
</td></tr>
<tr><td>평 가</td><td colspan="3">5개 국공립어린이집의 연합으로 프플리마켓을 준비했다. 성공적으로 마친 교직원의 노고를 치하하고 새로 들어온 교직원 5명을 환영하여 맞이했다.</td></tr>
</table>

교사 힐링 프로그램 중 원내 힐링 '다누리 마음+'의 다양한 취미공유 및 업무 외 자격증 예시 ①

<table>
<tr><td colspan="2" rowspan="2">교사 힐링 프로그램</td><td>담 당</td><td>원 장</td></tr>
<tr><td></td><td></td></tr>
<tr><td>힐링 과정명</td><td colspan="3">종이판화, 종이꽃 만들기</td></tr>
<tr><td>목 표</td><td colspan="3">코로나 사회적 거리두기 격상으로 인해 종이판화와 종이꽃을 만들며 심신의 안정을 꾀하여 영유아들의 안전한 보육에 힘쓴다.</td></tr>
<tr><td>일 시</td><td colspan="3">2021년 7월 12일 ~ 9월 30일</td></tr>
<tr><td>장 소</td><td colspan="3">구립도화다누리어린이집</td></tr>
<tr><td>참여교사</td><td colspan="3">전체 보육교직원</td></tr>
<tr><td>내 용</td><td colspan="3">코로나로 불안 요소가 많은 시점에 교사 힐링 프로그램을 진행했다. 종이판화와 종이꽃 만들기를 하여 심신의 안정을 취하며 화사한 환경을 만들고 안전한 보육에 힘쓴다.</td></tr>
<tr><td rowspan="2">과정사진 및 증빙자료</td><td>과정사진</td><td colspan="2">증빙자료</td></tr>
<tr><td></td><td colspan="2"></td></tr>
<tr><td>평 가</td><td colspan="3">교직원들에게 종이판화와 종이꽃 만들기 재료를 지원하였다. 교사들이 휴게시간을 이용하여 만들고 싶은 재료를 선택하여 작업했다. 코로나 사회적 거리두기단계 격상에 따른 불안정한 마음을 만들기 활동에 집중하며 심신의 안정을 취하였다.</td></tr>
</table>

2) 교사 의견

"우리어린이집의 '교사 힐링' 이래서 좋아요!"

<우리 어린이집 보육교사에게 묻는 질문>

1. 우리 어린이집은 타원에 비해 이런 미세한 차이가 있다.
2. 우리 어린이집에서 교사로서 배우게 된 것이나 보육교사로서 알게 된 업무처리 방법이 있다.

최○○

1. 교사재능기부
   동영상 제작에 능숙한 교사가 영상제작의 실무적인 부분을 자체 교육으로 다른 교사들에게 전달해 주어 교사개인업무능력과 역량이 늘어날 수 있도록 도움을 준다.
   컴퓨터 활용방법이나 코바늘손뜨게 등 자신의 지식을 다른 교사에게 알려주면서 교사들간 서로에 대해 관심을 갖고 서로에게 부족한 부분을 자연스럽게 채워주는 부분이 많다
2. 다누리어린이집에 입사해서 교사장학과 인성활동을 계획하고 실행하면서 성취감과 업무능력이 늘어나는 것 같다.

윤○○

1. 교사복지에 많은 신경을 써주신다.
   지난번 캘리 자격증반을 만들어 주셔서 자격증을 취득할 수 있었고, 이번에 리본공예자격증반을 추진해 주셔서 다양한 작품을 만들어 볼 수 있어 좋았다.
   또 교사들의 건강을 신경써 주셔서 항상 풍요롭게 해주시는 것도 너무 좋아요~
2. 다양한 업무에 능통하게 된다.
   교사를 믿고 맡겨주시는 일에 최선을 다하다 보면 어느 순간 전문가까지는 아니지만 능숙하게 하고 있는 자신을 볼 수 있다. 나의 케리어에 많은 도움이 되었다. (회계업무, 열린소통 등)

이○○

1. 매년 진행하는 교사장학 - 내가 아이들과 수업(놀이)하는 모습을 다른 교사들이 본다는 것이 부담스러운 면도 있기는 하나 이를 통해 나의 장단점을 파악해 개선해 나갈 수 있고 다른 교사의 좋은 점을 배울 수 있는 기회가 되어 좋다고 생각합니다,
2. 업무 분장을 통해 맡은 업무에 대해 책임감을 가짐으로써 그 부분에서는 가장 잘 아는 교사로 성장하게 합니다.

조○○

1. 체계적인 서류가 좋습니다! 매뉴얼대로 서류작업을 이루어져서 서류작업을 할 때 더욱 쉽고 체계적으로 깔끔하게 작업할 수 있는 것 같아서 좋습니다. 또한 체계적으로 깔끔하게 정리할 수 있어서 서류를 찾거나 보여드릴 때 보기 쉬운 부분도 좋습니다!
2. 다양한 업무들을 통해 영상 작업 부분에서 예전보다 많은 것들을 사용하고 영상 작업을 할 수 있 었고, 보육 관련 이외 전문성 향상을 위한 캘리자격증이나 힐링 교육을 통해 다양한 전문성들을 높일 수 있었습니다.

박○○

1. 영유아들의 즐거움을 위한 활동이 많은 것이 좋습니다. 일상생활에서 경험하기 어려운 부분들을 어린이집에서 체험하게 해줌으로써 다양한 경험을 통해 창의력을 증진시키고 큰 즐거움을 얻을 수 있는 것 같습니다. 교사들도 행사와 수업을 준비하며 성장 발전하는 부분이 많이 생기고, 그 경험을 통해 성취감을 느낄 수 있어 좋습니다.
2. 체계적인 서류 관리를 통해 계획적으로 업무 처리를 할 수 있게 되는 것 같습니다. 모든 업무를 기간에 맞추어 제출함으로써 업무가 밀리는 부담이 없어 보육에만 집중할 수 있게 된다고 생각합니다.

김○○

1. 매월 인성주제의 행사 때, 계획에서 업무분장까지의 진행과정을 통해 능력향상이 됨을 느낄 수 있었습니다.
2. 교사장학, 수업진행준비 등에서 나를 돌아보지 못했던 부분을 반성할 수 있었고, 아동의 안전을 좀더 생각하고 보육에 신경 쓸 수 있었습니다.

이○○

1. 교사들을 위한 다양한 복지가 많습니다.(캘리그라피, 리본아트 등 교육적인 것 + 생일 한 시간 일찍 퇴근, 다누리 셀프바 등)
2. 교사장학을 통하여 객관적으로 나를 되돌아 볼 수 있는 시간이 되었고 다른 교사들의 수업을 함께 보면서 성장의 시간이 되었습니다. 또한 서류 및 업무 메뉴얼이 체계적이어서 업무를 쉽게 할 수 있었습니다.

구○○

1. 교사회의가 아침마다 있다. 교사회의가 매일 아침 이루어지기에 함께 일하는 교직원들과 짧은 티타임과 더불어 소소한 대화의 시간도 이루어진다. 이때, 원내에서 일어나는 여러 가지 행사 등에 대해서 잊고 있었다가도 다시 알게된다. 그럼으로써 실수가 줄고, 참여하지 않은 교직원들에게는 톡으로 안내를 통해 소외감이 들지 않도록 한다. 비고사항을 톡으로 올려줌으로써 서류 작성에 많은 도움이 된다. 원장님께서 나서서 교사들의 복지를 신경을 써주신다. 캘리, 리본공예도 있지만 교사들의 제자리 걸음보다 무언가를 공부해서 취득할 수 있도록 관련 기관을 알아봐 주기도 하신다. 그로 인해 몰랐던 길을 알게 됨으로써 모든 교직원들을 성장하게 도와주신다.
2. 담당업무 서류가 배정되면 그 서류가 내 것이 된 듯 능숙해진다.
   (윤 쌤과 같습니다. ^^+ 모르는 부분이 있으면 원장님을 비롯해 선배 교사분들이 자료와 정보를 찾아주시거나 알려주시며 서로가 서로의 정보를 아낌없이 공유해 주십니다.)

조○○

1. 다양한 행사를 통해 교사의 능력이 향상되고 발전될 수 있다.
2. 다양하고 체계적인 복지(업무 능력과 향상 및 그에 따른 여러 가지 복지혜택으로 심신이 모두 힐링됨)

이○○

1. 교사 업무능력 향상(인성활동)
2. 타 어린이집에서의 행사 진행은 원장님이나 임원들에 의해 계획되고 실행되지만 1년을 인성 주제로 나누어 스스로 계획해 보고 행사를 주관할 수 있는 점에서 역량을 끌어 올릴 수 있었다.

보육계획 수립, 수행 및 평가

1. 놀이중심의 보육계획 수립

⊙ 보육과정(표준교육과정과 개정 누리과정)

보육과정(표준보육과정과 개정누리과정)
0~5세 영유아를 위한 국가 수준의 보육과정이며 0~1세 보육과정, 2세 보육과정, 3~5세 보육과정(누리과정)으로 구성되어 있습니다.

- 제4차 표준보육과정(만 1, 2세)

표준보육과정의 목표는 건강한 사람, 자주적인 사람, 창의적인 사람, 감성이 풍부한 사람,더불어 사는 사람이라는 목표에 따라 기본생활, 신체운동, 의사소통, 사회관계, 예술경험, 자연탐구의 6개 영역을 중심으로 놀이를 통해 직접 경험하고 배워가도록 하고 있습니다.

'2019 개정 누리 과정'의 개정 방향을 고려하여 '영유아 중심·놀이 중심'을 추구합니다.

- 2019 개정 누리교육과정(만 3, 4, 5세)

누리과정이란? 어린이집과 유치원에 다니는 3~5세에게 공통으로 제공되는 교육과정입니다.

- 교사 중심과정에서 유아·놀이 중심 교육과정으로 변화
- 충분한 놀이 시간 확보 권장
- 유아 놀이와 배움의 의미에 대한 새로운 접근
- 5개 영역을 유지하되, 연령별로 복잡하게 나뉘었던 내용들을 하나로 통합
- 유아가 경험해야 할 내용을 연령 구분 없이 제시

놀이하며 배우는 유능한 유아

아이들은 놀이하면서 가장 잘 배울 수 있습니다. 국가에서 제시한 5개 영역뿐만 아니라 자신을 잘 표현하고 친구들과 잘 소통할 수 있고, 협력하고 문제 해결을 하며 창의적으로 생각할 수 있는 능력을 더 많이 함양할 수 있게 될 것입니다

* 보육계획 수립시 구성의 중점
3~5세 모든 유아에게 적용할 수 있도록 구성한다.
추구하는 인간상 구현을 위한 지식, 기능, 태도 및 가치를 반영하여 구성한다.
신체운동·건강, 의사소통, 사회관계, 예술경험, 자연탐구의 5개영역을 중심으로 구성한다.
3~5세 유아가 경험해야 할 내용으로구성한다.
0~2세 보육과정 및 초등학교 교육과정과의 연계성을 고려하여 구성한다.

*다음의 사항에 따라 누리과정을 편성·운영한다.
- 1일 4~5시간을 기준으로 편성한다.
- 일과 운영에 따라 확장하여 편성할 수 있다.
- 누리과정을 바탕으로 각 기관의 실정에 적합한 계획을 수립하여 운영한다.
- 하루 일과에서 바깥놀이를 포함하여 유아의 놀이가 충분히 이루어지도록 편성하여 운영한다.
- 성, 신체적 특성, 장애, 종교, 가족 및 문화적 배경 등으로 인한 차별이 없도록 편성하여 운영한다.
- 유아의 발달과 장애 정도에 따라 조정하여 운영한다.
- 가정과 지역사회와의 협력과 참여에 기반하여 운영한다.
- 교사 연수를 통해 누리과정의 운영이 개선되도록 한다.

* 교사는 다음 사항에 따라 유아를 지원한다.
- 유아가 흥미 관심에 따라 놀이에 자유롭게 참여하고 즐기도록 한다.
- 유아가 놀이를 통해 배우도록 한다.
- 유아가 다양한 놀이활동을 경험할수 있도록 실내외 환경을 구성 한다.
- 유아와 유아, 유아와 교사, 유아와 환경 간에 능동적인 상호작용이 이루어지도록 한다.
- 5개 영역의 내용이 통합적으로 유아의 경험과 연계되도록 한다.
- 개별유아의 요구에 따라 휴식과 일상생활이 원활히 이루어지도록 한다.
- 유아의 연령, 발달, 장애, 배경 등을 고려하여 개별 특성에 적합한 방식으로 배우도록 한다.

〈출처 - 2019 보건복지부 누리과정 고시문〉

2. 놀이 중심 교육과정, 교사의 실천 방향

1) 놀이 중심 표준교육과정

개정누리과정의 핵심단어는 '놀이'이다. 그동안 표준보육과정이 적용되는 영아와 누리과정 교육을 받는 유아의 발달 및 놀이 경험이 연계되어야 한다는 필요성은 꾸준히 제기되었다. 이에 표준보육과정도 영유아 중심, 놀이 중심 및 아이들의 자율성·창의성을 높이는 것을 목적으로 개정되었다.

이로써 영유아는 모두 '놀이중심'이라는 일관된 보육·교육과정을 받을 수 있게 되었다. 유아가 놀이를 통해 행복한 배움을 갖는다는 유아교육의 본질을 회복하기 위한 놀이중심 교육과정은 유아가 활동과 놀이에 자발적으로 참여하고, '즐거운 몰입'을 통하여 '배움'이 일어나도록 실천해 가는 교육과정으로 유아의 전인적 발달과 성장을 지원하는 것을 목적으로 한다.

유아는 놀이를 좋아하고 놀이를 하면서 가장 잘 배운다. 놀이하면서 배우는 유아의 유능함은 타고난 것이며, 다양한 놀이 경험을 통해 점점 성장한다. 유아는 놀이에 유능하며, 스스로 배워 나간다.

▶ 유아는 놀이하는 능력을 가지고 태어났다. 모든 영아는 태어나면서부터 세상과 소통하고 세상에 대해 배운다. 세상에 관심을 갖고 세상이 무엇인지 알려고 하는 것이다. 호기심에 가득 찬 아기는 보고, 듣고, 맛보고, 만지면서 탐색하며, 주변의 사람을 쳐다보고 울고 웃으며 소통한다. 영아가 세계와 소통하는 방식 역시 놀이이다. 이처럼 영아는 놀이하면서 성장한다.

▶ 유아는 영아기 경험을 바탕으로 놀이하는 힘을 더욱 키우며 다양한 놀이 경험을 통해 더욱 유능해진다. 먼저 사물, 물체, 놀이 자료 등을 조작하는 방식이 점차 다양해지고 풍부해진다. 또한 놀이를 통해 신체를 더욱 자유롭게 움직일 수 있고, 의사소통 능력이 급격하게 발달하면서 적극적으로 탐구하고 상상한다. 나아가 사회적 관계도 복잡해지고 다양한 정서를 경험한다.

⊙ 영유아들에게 놀이 중심이란

놀이는 기본적으로 안전이 바탕되어야 한다. 안전이 보장된 상황에서 교사의 개입은 최소화하며 자발적으로 놀이를 끌어낼 수 있도록 돕는 것이다. 단, 방임과 자유는 엄연히 다르므로, 적절한 놀잇감을 제공하고 놀이를 제안하는 것은 필요하다. 또한 영아는 개별적 특성이 강하기 때문에 개개인의 기질과 흥미에 대해 주의를 기울여야 한다.

영유아놀이를 지지할 때 가장 중요한 점은 움직임과 표현, 표정 그대로를 인정해 주는 태도이다. 영아는 무의식으로 행동하는 그 자체가 '놀이'이고, '삶'이다. 사소한 몸짓과 행동 안에 놀이가 녹아있고, 울음과 웃음으로 표현하는 감정에 '삶'이 녹아있다.

호기심 어린 눈으로 세상을 바라보고 한 번 툭 건드려 보는 것, 어눌한 말투로 '이거 뭐야?' 하고 질문해 보는 것으로 놀이가 시작된다. 이때 교사는 민감성을 발휘하여 영아가 의도하는 것을 파악하고 적절한 상호작용과 함께 놀잇감을 제시해야 한다. 특히 영유아의 놀이를 꼼꼼히 기록해 두었다가 더 흥미로운 놀이로 확장시키는 행동도 필요하다.

영아는 눈앞에 있는 장애물을 스스로 제어할 힘이 부족하므로 안전한 환경을 만들어 주어야 한다. 영아기부터 놀이 본질의 균형을 잃지 않는 놀이 문화를 조성할 때, 앞으로 만나게 될 유아기 놀이에서 좀더 흥미롭고 배움이 가득한 '진짜 놀이'를 할 수 있을 것이다.

◉ 놀이중심 교육과정이 성공적으로 실행되기 위해서 반드시 필요한 세 가지

첫째, 유아 중심, 놀이중심교육에 대한 철학이다. 놀이중심 교육과정은 수업을 보는 교사의 관점이 중요하다. 교사의 기본적 역량은 인성과 전문성 외에 유아중심의 가치를 우선에 두어야 한다. 교사의 교육적 관점에 따라 실천적 지식의 구성이 달라지기 때문에 단위유치원의 놀이중심 교육과정 설계를 위해서는 교사의 아동중심 교육철학이 매우 중요하다.

둘째, 교육과정 재구성 역량이다. 4차 산업혁명 사회에서 교육과정 재구성은 교사의 중요한 역량이다. 교육과정 재구성은 국가수준의 교육과정이 지향하는 목표를 효과적으로 달성하기 위하여 단위 학급의 교사가 스스로 전문성에 기초해 교육계획을 교실 상황에 맞게 적절히 변형하는 계획과 행위이다. 개정누리과정은 국가수준에서 제시한 공통된 교육내용에 근거하여 교사가 유아의 연령 및 특성, 발달 수준에 적합하게 재구성하여 실행할 것을 요구하고 있어 교사의 전문성이 강화되어야만 실행 가능하다.

셋째, 관찰능력과 비판적 사고력이다. 교사는 유아가 무슨 활동을 하고 있는지, 어떤 활동에 흥미가 있는지, 유아의 놀이에서 어떻게 학습이 일어나는지, 유아가 놀이를 어떻게 변화시키거나 확장해나가는지 등을 관찰할 수 있어야 하며 비판적 사고력으로 자신의 교수 실제를 되돌아보고 다음 학습에 반영하며 유아의 흥미를 교육과정에 연결시킬 수 있어야 한다. 교육기관에서의 놀이도 마찬가지라 생각한다. 유아는 잘 준비된 환경에서 자신의 역량을 발휘하며 놀이를 진행하고, 교사는 이러한 놀이가 더욱 확장되어 유아들의 발달에 의미 있게 작용할 수 있도록 해야 할 것이다. 준비환경을 위한 교사의 역할을 계획해 보고 실천방안을 아래와 같이 세워 볼 수 있다.

◉ 놀이시 교사가 주의해야 할 사항

- 놀이에서의 자유는 계획된 목적으로부터의 자유, 미리 결정된 규칙으로부터의 자유, 사실로부터의 자유, 시간과 공간의 제약으로부터의 자유를 포함한다.
- 놀이는 뚜렷한 목적을 가지고 계획된 활동으로부터의 자유를 포함한다. 그러므로 교사는 놀이에서 특정 학습 목표를 달성하도록 일방적으로 안내하기보다는 유아가 놀이하는 흐름을 읽고 따라가야 한다. 그래야 놀이의 특성이 살아난다.
- 놀이는 이미 정해진 규칙으로부터의 자유를 포함한다. 유아는 놀이하면서 혼자 또는 함께 규칙을 만들며 이미 만들어진 규칙을 바꾸거나 파기하고 새롭게 생성한다. 이처럼 놀이의 질서는 놀이 안에서 만들어지며 놀이를 놀이답게 만든다.
- 유아는 자신의 경험을 놀이 맥락에서 활용하지만 그것이 반드시 있는 그대로의 사실일 필요는 없다. 유아는 놀이에서 경험을 자유롭게 선택하고 현실을 넘어서 상상하고 자유롭게 표현할 수 있다.
- 놀이는 특정 시간과 공간의 제약을 받지 않고 언제 어디서나 이루어질 수 있다. 유아는 놀이할 때 필요한 상황을 만들어 낸다. 과거, 현재, 미래를 넘나들고 교실, 복도 등 영역의 경계를 넘어 놀이한다. 자유로운 놀이는 변형과 창조의 특성을 가지게 된다.

개정 표준교육과정에서의 유아는 교육과정을 함께 구성해 나가는 존재이므로 일과 구성, 놀이공간, 놀이자료, 평가 등에 있어 유아의 소리가 반영되는 비중을 늘려야 한다.

⊙ 놀이 중심 계획시 유의 사항

- 목적으로부터의 자유
- 규칙으로부터의 자유
- 사실로부터의 자유
- 시간과 공간의 경계로부터의 자유
- 교사의 제한 언어
  -반에서 제한하는 것은 무엇이 있나?
  -우리 반은 허용적인 분위기인가 (~안돼, ~하지마세요)

⊙ 단계별 놀이중심교육

(1단계) 놀이중심 내용 | 교사 스스로 작성하기
(2단계) 놀이중심 내용 | 지속적 교사 회의를 통한 놀이 중심 약속판 결과
(3단계) 각정과 연계 및 평가 | 놀이 중심 교육과정 자기 평가하기

일과 속 '안돼'의 사용 시기를 알아봐요.

날짜

소속

스스로를 관찰 후 열 가지만 써 본 후
O월 O일 교사회의 전까지 작성하여 회의에 참석하시기 바랍니다.

1.
2.
3.
4.
5.
6.
7.
8.
9.
10.

2) 놀이중심 약속판

□ 아래와 같이 놀이 중심 약속판 규정이 생기게 되면 이를 가정과 연계하여 가정에서도 연계할 수 있도록 한다.

□ 놀이 중심 약속판의 내용을 소개한다면 놀이시간 안전에 대한 부분, 식사, 간식시간 안전과 위생에 관한 부분, 화장실에서 위생과 안전과 해가 되는 행동과 배려가 필요한 부분에 대해 규정하고 있다. 그러므로 교사는 놀이 지도 시 약속판 외의 모든 행위는 허용하고 놀이의 일부로 보아야 한다. 교사는 아동을 기다려주고 지지해 주는 시간이 되어야 할 것이다.

□ 아래의 놀이판은 2022년 현재의 놀이판이며 23년은 교사회를 거쳐 수정되고 반영하여 2023년 놀이 약속판 규정이 새롭게 만들어질 것이다.

놀이중심약속판 표		
위험한 행동은 안 돼요.		**가정과의 연계**
놀이시간	놀이시 나와 친구의 안전에 해가 되는 행동 예) 때리기, 던지기, 물기, 올라가기, 놀잇감 입에 넣기 열없이 보육실을 나가거나 다른 반으로 이동하여 놀이 할 때 통합보육시간 제외)	
식사 & 간식시간	식사 중 안전과 위생에 해가 되는 행동 예 : 수저와 포크가 친구를 향해 있거나 손으로 먹을 때 식사 중에 이야기를 하거나 돌아다닐 때 배식판을 던지거나 이동시키려고 할 때 정수기와 컵, 소독기 주변에서 장난을 할 때	
화장실	위생과 안전에 해가 되는 행동 등 예) 변기에 반복적으로 휴지를 넣거나 문을 잠그는 장난을 할 때 물을 계속 틀어놓고 장난을 할 때, 변기를 만지거나 칫솔을 입에 넣고 돌아다니거나 놀이할 때 배변 후 기저귀 속에 손을 넣거나 던지려고 할 때 등	
"친구를 '배려'해요"		
배려가 필요한 순간	친구 및 교사를 배려하지 않는 행동 등 예 : 친구에게 상처주는 말을 할 때 타인(교사 & 친구)의 물건을 함부로 만질 때 자기 자신 또는 타인의 몸을 만지거나 보여주려고 할 때 놀이 후 정리를 하지 않아 놀이에 불편을 줄 때 낮잠시간에 친구들에게 피해를 주는 행동, 베개 던지기, 소리 지르기, 이불 밟고 돌아다니기) 할 때 등	

3) 연간계획 수립하기

- 연간보육계획안은 계절이나 상황, 연령별 발달 수준으로 계획한다.
- 최근 표준교육과정 교사용 지도서에서도 잘 정리되어 있어 이를 사용하는 것을 추천할 수 있다.

월	주제	소주제	행사	현장학습	부모참여
3월	**[질서]** 어린이집이 좋아요	즐거운어린이집이 에요. 영아 흥미 주제			신입원아 적응
4월	**[정직]** 봄나들이 가요	따뜻한 봄이에요. 영아 흥미 주제	생일잔치 소방대피 다누리 인성발표회	봄소풍 (부천모네정원)	학부모상담다누리 인성발표회
5월	**[효]** 나를 사랑해요	행복한 우리 가족이 에요. 영아 흥미 주제	어린이날 생일잔치 소방대피 다누리 인성발표회	청라생태공원	학부모 일일교사 다누리 인성발표회
6월	**[협력]** 친구와 놀아요	자랑스런 나예요. 영아 흥미 주제	생일잔치 소방대피 다누리 인성발표회	인천대공원	급식 도우미/ 부모 모니터링 운영위원회 다누리 플리마켓 다누리인성발표회
7월	**[긍정]** 건강한 여름을 보내요	재미있는 여름이에요. 영아 흥미 주제 영아 흥미 주제 / 하계자율 등원기간	생일잔치 소방대피 다누리 인성발표회 하계자율 등원기간 (7/25~7/30)	어린이과학관 용도수목원 (수영장) 어린이과학관	다누리 인성발표회
8월	**[경청]** 여름하고 놀아요	소중한 동물이에요. / 하계자율 등원기간 영아 흥미 주제	하계자율등원기간 (8/1~8/5) 다누리 인성발표회 생일잔치 소방대피	쁘띠몽드 키즈카페	다누리 인성발표회

※ 생일잔치 - 매월 마지막 주 화요일
※ 소방대피 - 매월 마지막 주 목요일
※ 상기 일정은 변경될 수 있음을 미리 안내드립니다.

월	주제	소주제	행사	현장학습	부모참여
9월	**[존중]** 가족을 존중 해요.	여러 가지 탈것이에요. 영아 흥미 주제	생일잔치 소방대피 다누리 인성발표회	송알송알 포도농장 도호부청사	다누리 인성발표회
10월	**[인내]** 수확의 기쁨을 나눠요.	알록달록 가을이에요. 영아 흥미 주제	생일잔치 소방대피 다누리 인성발표회	드림파크 하니랜드	급식도우미/ 부모 모니터링 추석명절 이웃나눔 다누리 인성발표회
11월	**[배려]** 자연을 느껴요.	영아 흥미 주제	생일잔치 소방대피 다누리 인성발표회	계양산 자연치즈 국립생물자원관	학부모 상담 학부모 간담회 다누리 인성발표회
12월	**[나눔]** 감사와 사랑을 나눠요.	신나는 겨울이에요. 영아 흥미 주제 영아 흥미 주제/ 동계자율등원기간	생일잔치 소방대피 산타잔치 다누리 인성발표회 동계자율 등원기간 (12/26~12/30)		다누리 인성발표회 (다누리 스케치북)
1월	**[감사]** 친구가 있어요	사랑하는 우리 반 친구들이에요./ 동계자율등원기간 영아 흥미 주제	동계자율 등원기간 (1/2~1/6) 생일잔치 소방대피 다누리 인성발표회	반디도서관	다누리 인성발표회
2월	**[사랑]** 친구를 사랑 해요.	형님이 되었어요. 영아 흥미 주제	생일잔치 소방대피 졸업 및 수료식 다누리 인성발표회	인형극/ 뮤지컬 관람	설명절 이웃나눔 신입,재원 오리엔테이션 다누리 인성발표회 (다누리 수료/ 졸업식) 설명절 이웃나눔
	※ 생일잔치 - 매월 마지막 주 화요일 ※ 소방대피 - 매월 마지막 주 목요일 ※ 상기 일정은 변경될 수 있음을 미리 안내드립니다.				

4) 월간 계획안 사례

월간, 주간보육 계획안 : 월간, 주간보육안은 연간보육계획에 따라 주제를 목록화하여 실행 달과 원의 실정에 맞춰 계획한다.

<우리 어린이집 월간안 예시>

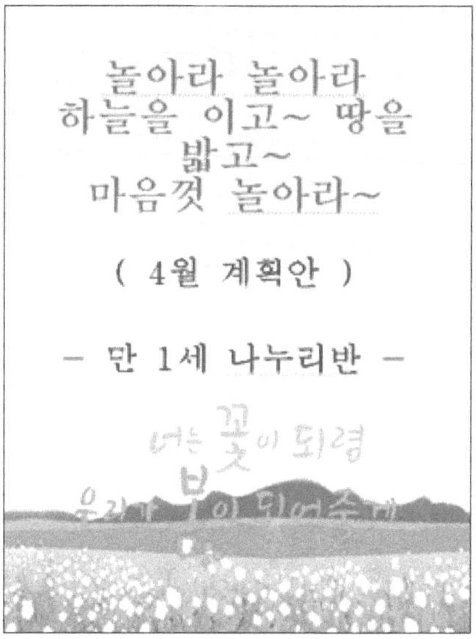
놀아라 놀아라
하늘을 이고~ 땅을 밟고~
마음껏 놀아라~

(4월 계획안)

- 만 1세 나누리반 -

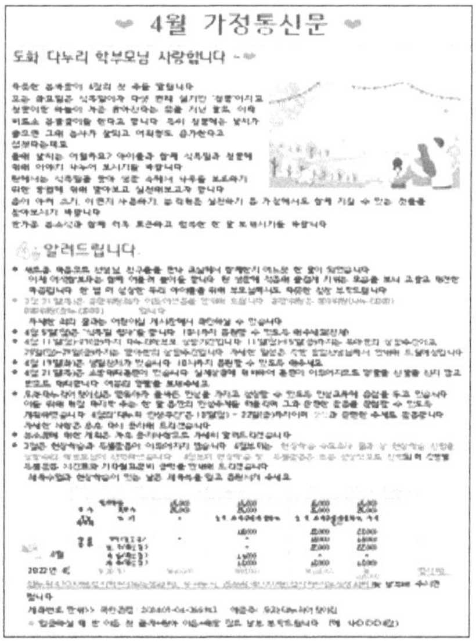
4월 가정통신문

도화 다누리 학부모님 사랑합니다 ~

알려드립니다

4월 보육계획안

4월 보육계획안

나누리반 4월행사

나누리반 통신

4월의 인성

4월의 인성 덕목은 '정직'입니다

3월에는 이렇게 놀이했어요 1

[질서] 어린이집에서 약속이 있어요

소화기 안전교육

놀이 내용

3월에는 이렇게 놀이했어요 2

[질서] 어린이집에서 약속이 있어요

맛있는 간식시간

터널을 통과해요

놀이 내용

거짓말 하는 아이들 지도하기

습관처럼 거짓말을 하는 아이들이 있습니다. 어거는 소소하게 사실을 말하지 않는다는 것을 알면서도 상대방이 자신의 말을 믿게끔 하려고 하지요. 아이들은 왜 거짓말을 할까요? 어떻게 지도해야 할까요?

혼내거나 비난을 두려워하기 때문
아이들이 자주 하는 거짓말 중 하나는 '제가 안 그랬어요'일 것입니다. 야단맞을까봐 혹은 친구들로부터 비난을 받을까봐 두려워서 그러하지요. 이런 아이들에게는 다그치거나 심하게 야단치지 마세요. 잘못을 감출하기보다 거짓말을 한 행동이 더 나쁘다는 것을 알려주는 편이 낫습니다.

재미를 느끼기 때문
자신의 거짓말에 상대방이 속아 넘어가는 것에 재미와 쾌감을 느끼며, 자신의 능력이 대단하다고 착각하는 아이들도 있습니다. 아이의 거짓말에 속지 않도록 주의하며, 거짓말은 다른 사람에게 피해를 주는 행동임을 분명하게 알려주세요. 또한, 상대방은 마음의 상처를 입거나 거짓말 한 아이에 대해 분노와 실망을 느낄 수 있다고 알려줍니다.

관심을 끌기 위해서
부모의 관심을 받기 위해 아프다고 하거나, 친구들에게 부러움을 사기 위해 자신의 집에 비싸고 좋은 물건이 있다고 하는 유형입니다. 어느 정도는 욕구를 시켜줄 필요가 있지만, 친구들에게 거짓말로 관심을 끄는 것은 좋은 방법이 아님을 알려주세요. 언젠가 사실이 밝혀지면 친구들이 오히려 더 나쁜 감정을 갖게 될 것이라는 것도 이야기해줍니다.

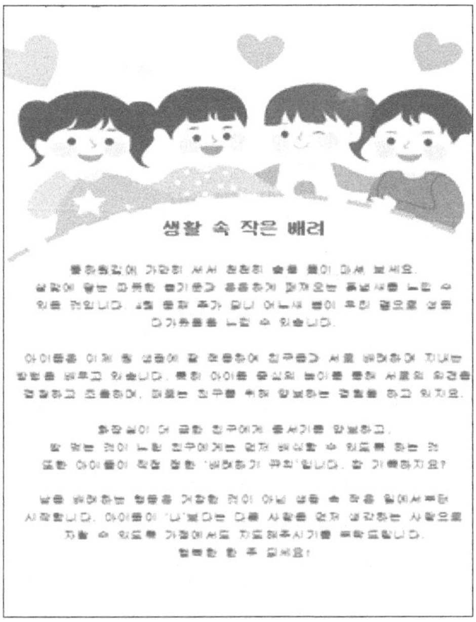

생활 속 작은 배려

아이들은 이제 원 생활에 잘 적응하여 친구들과 서로 배려하며 지내는 방법을 배우고 있습니다. 특히 아이들 중심의 놀이를 통해 서로의 의견을 경청하고 조율하며, 때로는 친구를 위해 양보하는 경험을 하고 있지요.

화장실이 더 급한 친구에게 순서를 양보하고,
또한 아이들이 직접 정한 '배려하기 규칙'입니다. 참 기특하지요?

남을 배려하는 행동은 거창한 것이 아닌 생활 속 작은 일에서부터 시작합니다. 아이들이 '나'보다는 다른 사람을 먼저 생각하는 사람으로 자랄 수 있도록 가정에서도 지도해주시기를 부탁드립니다.
행복한 한 주 되세요!

다름을 존중하는 태도

4월 20일은 장애인의 날입니다
영유아에게 '장애'란 이해하기 어려운 개념입니다.
이런 영아들에게 장애인의 날을 맞이하여 어떤 것을 지도하면 좋을까요?

장애에 대해 설명하기보다 삶의 여러 상황 속에서
다른 사람들의 다름을 인정하며 살아가는 태도를 보여주는 것이
훨씬 좋은 교육이 될 것입니다.

아이들은 가까운 어른의 모습을 모방하고,
그 모습을 토대로 하루하루를 살아가기 때문입니다.

다름을 인정하는 것은 일회성이 아니라 삶의 모든 과정 속에 있습니다. 이 과정에 아이들을 참여시켜 주세요.
그리고 서로를 존중하는 태도에 대해 이야기 나누어 주세요.
먼 훗날 아이들은 세상 속 자신과 다른 사람들과 자유롭게
소통하고 협력하며 공존하는 삶을 살아가게 될 것입니다.

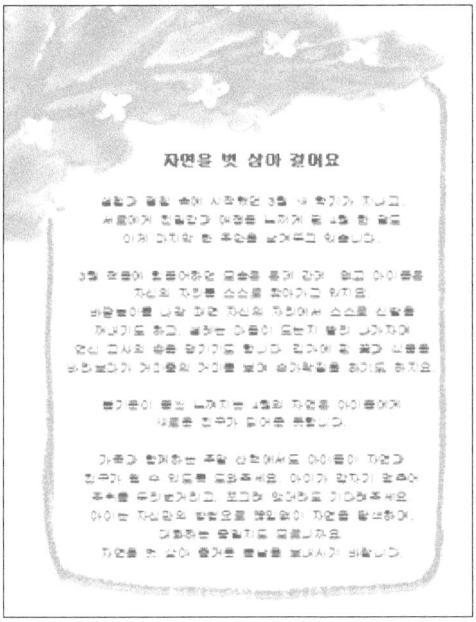

자연을 벗 삼아 걸어요

높아라 높아라 하늘을 이고~
땅을 밟고 다음껏 높아라~

5) 보육 계획 수행

사전 놀이 계획

매주 월요일 아침 원장과 각반 담임교사는 놀이 사전 계획에 대한 준비사항을 함께 체크한다.
아래 표와 같이 매주 작성한다.

월 놀이활동 사전 준비사항

반　　　　월 1주

주　제		주관 교사 :
쌓기·역할		
의사소통		
신체운동		
예술경험		
자연탐구		
기본생활/사회관계		
안전한 생활		

* 아래 평가표는 편의상 1주까지만 작성된 것입니다.

〈사전 놀이 계획 예시〉

8월 놀이활동 사전 준비사항

나누리반 / 8월 1주

주　제		주관 교사 :
쌓기·역할		
의사소통		
신체운동		
예술경험		
자연탐구		
기본생활/사회관계		
안전한 생활		

8월 2주

주　　제		주관 교사 :
쌓기·역할		
의사소통		
신체운동		
예술경험		
자연탐구		
기본생활/사회관계		
안전한 생활		

8월 3주

주　　제		주관 교사 :
쌓기·역할		
의사소통		
신체운동		
예술경험		
자연탐구		
기본생활/사회관계		
안전한 생활		

8월 4주

주　　제		주관 교사 :
쌓기·역할		
의사소통		
신체운동		
예술경험		
자연탐구		
기본생활/사회관계		
안전한 생활		

2월 놀이활동 사전 준비사항

우리누리반 / 12월 1주

주　　제	많이 컸어요.	**주관 교사 :** 박OO
쌓기·역할	쌓기 - 내 키는 이만큼 커 교구 / 역할 - 피자가게 놀이 교구	
의사소통	이만큼 자랐어요 교구	
신체운동	혼자서도 잘해요 멀티	
예술경험	미술 - 신문지, 유아별 사진/ 음률 - '나는 씩씩한 어린이' 음원, 가사판	
자연탐구	겨울 나무 꾸미기 활동지, 솜, 색연필, 김장을 담가요 교구 및 영상, 다양한 김치가 있어요 영상	
기본생활/사회관계	겉옷을 바르게 입어요 / 친구와 겨울 산책을 즐겨요	
안전한 생활	'친구의 권리도 소중해요' 안전교육자료	

12월 2주

주　　제	즐거웠던 우리 반	**주관 교사 :** 박OO
쌓기·역할	쌓기 - 하얀 종이 종이벽돌블록, 이글루 사진 / 역할 - 겨울 옷, 겨울 소품(용품)	
의사소통	겨울철 놀이 그림	
신체운동	신문지	
예술경험	미술 - 색종이, 펭귄 접기 도안 / 음률 - '신나는 겨울' 음원, 가사판	
자연탐구	여러 가지 겨울 스포츠 영상, 눈 위를 씽씽 활동지	
기본생활/사회관계	빙판길에서의 안전 규칙을 즐겨요 / 친구와 신문지 눈싸움 해요	
안전한 생활	'길을 잃었어요' 안전교육자료	

12월 3주

주　　제	고마운 분들	**주관 교사 :** 박OO
쌓기·역할	쌓기 - 산타 마을 만들기 교구, 산타가 사는 마을 영상 역할 - 풀빵 장수 놀이 교구	
의사소통	크리스마스 책 만들기 활동지, 색연필	
신체운동	선물 상자, 자루	
예술경험	미술 - 물감, 트리 모양 구멍이 나 있는 종이, 흰 종이, 테이프 등 우리들의 크리스마스 동화	
자연탐구	황제펭귄의 여행 영상	
기본생활/사회관계	주변의 이웃에게 관심을 가져요 / 친구와 캐럴을 불러요	
안전한 생활	'술은 우리 몸을 건조하게 해요 ', '앗! 뜨거워 화상', '화재' 안전교육자료	

12월 4주

주 제	형님반에 가요.	**주관 교사 :** 박OO
쌓기·역할	쌓기 - 새해맞이 장소를 구성해요 영상 / 역할 - 유아용 빗자루, 쓰레받기, 물티슈	
의사소통	열두 띠 동물 카드 그림 자료, 새해를 맞이해요 동화	
신체운동	어린이 요가 영상	
예술경험	미술 - 색종이, 열매 종이접기 방법, 색연필 / 음률 - '신나는 겨울' 음원, 가사판	
자연탐구	온도계 그림	
기본생활/사회관계	적당한 운동이 필요해요 / 친구와 새해를 맞이해요	
안전한 생활	'탈 때는 아이먼저, 내릴 때는 어른 먼저' 안전교육자료	

6월 놀이활동 사전 준비사항

우리누리반 / 6월 1주

주 제	우리 동네에 대해 알아보아요.	**주관 교사 :** 조OO
쌓기·역할	쌓기 - 다양한 놀이공원 사진, 종이벽돌블록, 놀이기구 블록 / 역할 - 음식 놀이, 인형 등	
의사소통	놀이기구 이름 쓰기 활동지, 색연필, 사인펜	
신체운동	유니바, 훌라후프	
예술경험	미술 - 색종이, 우리 동네 종이, 색연필, 사인펜, 물감 / 음률 - 소고, 소고 관련 종이	
자연탐구	고구마 줄기 사진, 고구마 줄기, 돋보기	
기본생활/사회관계	적당한 크기의 목소리로 말해요 / 친구와 고구마 줄기를 관찰해요	
안전한 생활	'행복해질 권리 방패' 안전교육자료	

6월 2주

주 제	우리 동네 마트에 가요	**주관 교사 :** 조OO
쌓기·역할	쌓기 - 우리 동네 마트 사진, 블록 / 역할 - 장바구니, 음식 모형, 돈 모형	
의사소통	다양한 종류의 시장 책	
신체운동	요가 영상, 요가 할 수 있는 공간	
예술경험	미술 - 색종이, 지갑 만들기 도안, 스티커 / 음률 - 다양한 우리 동네 소리 음원	
자연탐구	그림자 그림 / 일할 때 필요한 물건 활동지	
기본생활/사회관계	혼자서도 할 수 있어요 / 친구와 마트에서 장을 봐요	
안전한 생활	'쉿! 아무도 없어요' 안전교육자료	

6월 3주

주　　제	우리 동네 병원에 대해 알아보아요.	**주관 교사 :** 조OO
쌓기·역할	쌓기 - 우리 동네 병원 사진, 병원 놀이 세트 / 역할 - 병원 놀이 세트, 인형	
의사소통	다양한 직업 관련 사진, 마이크	
신체운동	다양한 직업 사진	
예술경험	미술 - 시력 검사표 도안, 가위, 풀 / 음률 - 개구리 귀로, 소고, 마라카스	
자연탐구	여러 가지 우표 사진 / 다양한 약 모형	
기본생활/사회관계	웃어른을 뵈면 인사를 드려요 / 친구와 병원놀이를 해요	
안전한 생활	'친구의 약을 먹으면 안돼요' 안전교육자료	

6월 4주

주　　제	우리 동네의 있는 공공기관	**주관 교사 :** 조OO
쌓기·역할	쌓기 - 동네 산책길 사진, 종이벽돌, 공공기관 벽돌 / 역할 - 배달 음식 사진, 음식 모형, 접시, 포크 등	
의사소통	다양한 직업 사진, 직업 책, 직업 활동지, 색연필	
신체운동	다양한 끈	
예술경험	미술 - 종이 접시, 종이접시 경찰차 방법 사진, 색종이, 가위 / 음률 - '그런 집 보았니?' 동요판, 음원	
자연탐구	'공공장소의 예절이 있어요' 게임판 / 저울, 저울 올릴 물건 등	
기본생활/사회관계	도움을 주시는 분들에게 감사하는 마음을 가져요	
안전한 생활	'모두모두 달라요' 안전교육 자료, '소화기를 사용할 수 있어요' 안전교육자료	

6월 5주

주　　제	공공기관에서는 무엇을 할까?	**주관 교사 :** 조OO
쌓기·역할	쌓기 - 빵가게 블록, 종이벽돌, 빵가게 사진 / 역할 - 우리 동네 가게 사진, 음식 모형, 가게에서 파는 물건 등	
의사소통	공원 표지판 사진, 다양한 표지판 사진, 표지판 색칠 활동지, 색연필	
신체운동	다양한 쓰레기, 분리수거통	
예술경험	미술 - 재활용품, 색종이, 풀, 가위, 스티커 등 / 음률 - 케텔비 <페르시아의 시장에서>음원, 사진	
자연탐구	우리 동네 여러 건축물 게임판, 공공기관에서 사용하는 물건 사진, 돋보기 등	
기본생활/사회관계	공공기관에서 질서를 지켜요.	
안전한 생활	'나를 지켜주는 보호장구' 안전교육자료	

8월 놀이활동 사전 준비사항

우리누리반 / 8월 1주

주　　제	육상 교통기관에 대해 알아요.	**주관 교사 :** 조OO
쌓기·역할	쌓기 - 종이벽돌블록, 주유소 그림 / 역할 - 주유소 놀잇감, 자동차 모형, 주유소 그림	
의사소통	육상 교통기관 사진, 육상 교통기관 작은 책, 색연필, 크레파스	
신체운동	바퀴 그림	
예술경험	음률 - 교통기관 소리, 귀로, 실로폰, 마라카스 등 / 미술 - 육상 교통기관 카드, 색연필, 크레파스	
자연탐구	다양한 바퀴 사진, 자동차 그래프 활동지	
기본생활/사회관계	길 건널 때는 좌우를 살펴요 / 친구와 주유하고 세차해요	
안전한 생활	'나쁜 느낌을 말해요' 안전교육자료	

8월 2주

주　　제	항공 교통기관에 대해 알아요.	**주관 교사 :** 조OO
쌓기·역할	쌓기 - 비행기 활주로 사진, 종이벽돌블록 / 비행기 사진, 비행기 모형, 종이 비행기	
의사소통	교통기관 책, 색연필, 크레파스	
신체운동	종이 비행기	
예술경험	음률 - 해상 교통기관 소리 음원 / 미술 - 하늘 배경, 색연필, 크레파스, 색지	
자연탐구	옛날과 오늘날 해상 교통기관 패턴 놀이 활동지 / 가장 빠른 것은 교구	
기본생활/사회관계	차에서 안전벨트를 해요 / 친구와 비행기 놀이를 해요	
안전한 생활	'간시과 식사 전 손을 씻어요' 안전교육자료	

8월 3주

주　　제	해상 교통기관에 대해 알아요.	**주관 교사 :** 조OO
쌓기·역할	쌓기 - 항구 사진, 종이벽돌블록, 원목블록 / 선장님 의상, 선장님 사진, 배 관련 사진	
의사소통	교통기관 책, 색연필, 크레파스	
신체운동	큰 기차 놀이 고무줄	
예술경험	음률 - '통통배' 노래 음원 / 돛단배 사진, 종이접시, 스티커, 색연필 등	
자연탐구	해상 교통기관 퍼즐 / 물, 물에 뜨는 물건, 물에 뜨지 않는 물건	
기본생활/사회관계	손톱과 발톱을 깨끗이 정리해요 / 친구와 통통배 노래 부르며 놀이해요	
안전한 생활	'생명의 문 비상구' 안전교육자료	

8월 4주

주　　제	교통기관을 가지고 놀이해요.	**주관 교사 :** 조OO
쌓기·역할	쌓기 - 버스 놀이교구, 종이벽돌블록, 버스 사진 / 역할 - 버스 사진, 버스 놀이구교구, 인형	
의사소통	교통기관 그림자료, 교통기관 수수께끼 자료	
신체운동	풍선, 풍선을 칠 수 있는 채	
예술경험	음률 - '장난감 기차' 음원, 악기 / 미술 - 스텐실 재료, 교통기관 사진	
자연탐구	철길 따라 기차여행 / 내가 제일 커! 활동지	
기본생활/사회관계	대중교통을 바르게 이용해요 / 친구와 교통기관 수수께끼 놀이해요	
안전한 생활	'멈춘다! 살핀다! 건넌다!' 안전교육자료, 비상대응 폭염 안전교육자료	

8월 5주

주　　제	안전하게 교통기관을 이용해요.	**주관 교사 :** 조OO
쌓기·역할	쌓기 - 자동차 도로 그림, 자동차 도로 / 역할 - 자동차, 인형, 돗자리	
의사소통	다양한 교통기관 단어	
신체운동	표지판 그림	
예술경험	음률 - '건너가는 길' 노래 음원, 마라카스, 실로폰 미술 - 로켓 그림, 색연필, 크레파스	
자연탐구	날아라 로켓 활동지 / 빨강, 노랑, 파랑 돋보기, 신호등 사진	
기본생활/사회관계	안전한 장소에서 놀이해요 / 친구와 자동차를 타고 나들이 가요	
안전한 생활	'좋아요 나빠요' 안전교육자료	

6)보육일지

목적

영유아의 경험을 풍부하게 하는 활동을 제공하되 영유아 스스로 자신의 놀이를 선택할 수 있도록 해주어야 한다.

원칙

- 매일매일 작성하여야 한다.
- 일관성이 있어야 한다.
- 일과 계획을 그대로 따르려고 하지 말고, 영유아의 흥미와 요구에 따라 의사결정을 하고 영유아로 하여금 적극적으로 참여할 수 있도록 한다.(교사가 예상한 놀이로, 교사 주도적이 아닌 영유아 주도적으로)
- 동적·정적 놀이, 실내·실외놀이, 개별놀이 대소집단놀이 간의 균형이 이루어지도록 한다.
- 융통성 있게 운영한다.
- 자연스러운 놀이 상황을 관찰하고 이를 통해 교사가 지원하고자 하는 내용을 간단히 기록한다.
- 매주 월요일 퇴근 시이며 원장, 원감의 보육과정 평가는 월 평가 / 주 평가에 이루어질 수 있다.

기록

- 특별활동이 이뤄지지 않았을 시는 (□)로 표시한다.
- 폭염, 한파 특보, 코로나로 인함이 아닐 때를 제외하고는 실외놀이는 무조건 실시한다.
  영유아 : 놀이시간은 총 3시간 이상이며 이중 실외활동은 1시간 이상(실내놀이 시간은 순수 놀이만 연속적으로 1시간 이상이어야 하며 실외 놀이 시, 영아는 상황에 따라 30분 놀이도 가능하나 실외도 순수 놀이시간만을 기준으로 함)
- 특별활동을 하지 않은 영유아를 위한 대체 프로그램을 일지와 함께 보관한다.
- 일가 이뤄지도록 영유아를 세심하게 관찰한다.(낮잠을 안 자려는 영유아는 30분 이상 시도해도 안 잔다면 억지로 재우지 않으며 정적활동을 할 수 있도록 돕고 이를 기록에 남긴다.)
- 비반에 대한 관련사항과 원 전체 관련 사항들을 자세히 기록한다.(알레르기 대체 식단 기재)

평가

① 평가는 구체적이고 객관적으로 기술한다.
② 다음주 예상놀이 및 지원 계획이 적절하였는가?
③ 활동과 자료는 영유아의 발달과 학습에 적절한 수준이었는가?
④ 하루일과가 영유아의 신체 리듬과 특성 등을 고려하여 적절하게 계획, 실행되었는가?

⑤ 교수학습 방법은 영유아의 흥미와 활동 특성에 적합하였는가?
⑥ 하루일과의 활동 종료, 시간 배정은 적절하였는가?
⑦ 실행된 활동 중 영유아의 참여 정도와 흥미가 높았던 활동은 무엇이 있었는가?
⑧ 계획된 활동 중 변경되거나 추가된 활동 및 이유는 기록되었는가?
⑨ 하루일과의 보육내용 중 수정·보완해야 하는 것은 무엇인가?
⑩ 진 : 확장, 축소, 대체, 반영(월 1회 이상 기록)
래 계획된 내용을 추가하거나 촉진하여 진행(시간, 놀잇감, 활동 계획 등)
축소 : 원래 계획된 내용을 줄여서 진행(시간, 놀잇감, 활동계획 등)
대체 : 원래 계획된 내용과 다른 놀이나 활동 진행
반영, 반성 : 하루일과를 반성하고 이를 반영
⑪ 노란색 글씨 : 보육일지의 평가와 관찰일지의 평가가 상황이 연동될 수 있도록 한다.
⑫ 파란색 글씨 : 지역사회연계(영아 - 2달 1회, 유아 - 월 1회)
⑬ 사회관계 증진은 일과 속에서 자연스럽게 관찰될 수 있도록 교사가 의도적으로 관계 속에서 지도한다. 표준교육과정 영역별 구체적 보육내용을 일지표지에 별첨하고 그 내용이 평가에 삽입될 수 있도록 한다.(굴림체 8포인트로 작성)

◎ 보육일지 수립과 작성 요령

보육일지를 작성하기 전 연간보육계획이 수립되어야 한다. 이어 월간, 주간보육 계획안을 수립한 후 보육일지를 계획할 수 있다.
- 연간보육계획이수립:연간보육계획안은 계절이나 상황, 연령별 발달 수준으로 계획한다.
최근 표준교육과정 교사용 지도서에서도 잘 정리되어 있어 이를 사용하는 것을 추천할 수 있다.
- 월간, 주간보육 계획안 : 월간, 주간보육안은 연간보육계획에 따라 주제를 목록화하여 실행 달과 원의 실정에 맞춰 계획한다.
- 일일보육일지 :보육교사가 담당하는 반에서 영유아가 중심이 되는 놀이나 보육과정을 운영하고 관리하기 위한 기록이다.

◎ 연간보육계획 예시

보육일지는 어린이집의 중요 문서다. 평가제와 지도점검 시 대표적으로 확인하는 근거가 된다. 이 숙제 같은 보육일지를 어떻게 빠른 시간 안에 잘 쓸 수 일을까?
답은 늘 기본에 있다. 4차 표준교육 과정을 살펴보면 신체, 의사소통, 사회관계, 예술, 자연탐구 등으로 안내되어 있으며 목표와 범주, 내용이 나온다. 그러면 오늘 하루일과 중 내가 쓰고 싶었던 놀이 평가를 찾아 그 상황을 찾는다. 즉 오늘 놀이상황 + 내용과 범주를 합치는 것이다. 이렇게 연습하면 빠른 시간 그리고 전문성을 갖춘 교사가 될 것이다.

〈우리 어린이집의 보육일지 예시〉

참누리반 보육일지(만 2세)						원감
주 제						
교사의 기대						
시간/일과		월 일 (월)	월 일 (화)	월 일 (수)	월 일 (목)	월 일 (금)
일과 및 시간		계획 및 실행평가				
등원 및 통합보육 / 환기(7:30-09:00)		• 유아의 기분 및 건강상태를 살피고, 유아들의 투약의뢰서 유무 파악하기 및 통합 보육실에서 자유롭게 놀이하기				
기저귀갈이 및 오전 간식 / 환기 (09:00~09:30)		• 화장실가기 및 손 씻기, 오전간식 먹기 • 기본생활습관				
오전놀이 이야기 10:00~11:00	신체					
	언어					
	역할					
	쌓기					
	감각/탐색					
	미술					
	음률					
	안전 교육					
정리정돈 및 배변활동 / 환기 (11:00~11:10)		• 함께 정리정돈 후 화장실 다녀오기(손씻기)				
바깥놀이(대체) (11:10~12:00)		여름 하늘 구름 보며 산책하기 / 꽃과 나무에 물주기 (대체활동)누구의 부채가 시원할까?				

<table>
<tr><td rowspan="3">점심/환기
(12:00~13:30)
*특별활동포함</td><td rowspan="3">• 손을 씻고 제자리에 앉아 식사 준비하기
• 골고루 음식 먹고 함께 정리하도록 안내하기, 이닦기, 자유놀이
• 특별활동을 참여하지 않는 유아는 담임교사와 해당 교실에서 매주 주제에 해당하는 놀이 활동을 진행함.</td><td colspan="2">특별활동 - 미술</td><td colspan="2">특별활동 -체육</td></tr>
<tr><td colspan="2">12:30 -13:00</td><td colspan="2"></td></tr>
<tr><td>대체활동</td><td></td><td>대체활동</td><td></td></tr>
<tr><td>낮잠 및 휴식/환기
(13:30~15:00)</td><td colspan="5">• 낮잠 자기 및 음악 들으며 누워서 휴식하기</td></tr>
<tr><td>정리정돈 및
배변활동 / 오후
간식 / 자유놀이
(15:00~16:00)</td><td colspan="5">• 낮잠에서 일어나 교사와 함께 개별 매트와 이불을 정리하기
• 배변하고 손을 깨끗이 씻기. 식사하기 전 '잘 먹겠습니다' 인사를 해요.
• 오후 간식 먹고 함께 정리하기</td></tr>
<tr><td>연장보육
놀이 및 휴식
(16:00 ~ 19:30)</td><td colspan="5">오전에 진행한 놀이를 연계하여 실내놀이를 진행한다.
• 기본보육 아동은 하원하고 연장보육 아동은 연장반으로 이동하기(※ 특이사항 전달)
• 연장반에서 자유롭게 놀이하거나 휴식 취하기
• 부모님이 오시면 순차적으로 귀가하기</td></tr>
</table>

날짜 / 날씨		놀이 이야기 평가 및 놀이 지원계획	비고
월			
미세먼지			
날씨			
화			
미세먼지			
날씨			
수			
미세먼지			
날씨			
목			
미세먼지			
날씨			
금			
미세먼지			
날씨			
놀이 이야기 주간 평가 및 다음 주 지원계획			
보육과정 원감/원장 평가			

7)보육일지

평가는 다음 사항에 중점을 두고 실시한다.

보육계획안의 질을 진단하고 개선하기 위해 평가를 계획하고 실시한다.

원아의 특성 및 변화 정도와 표준교육과정의 운영을 평가한다

평가 목적에 따라적합한 방법을 사용해 평가한다.

평가의 결과는 원아에 대한 이해와 표준교육과정운영 개선을 위한 자료로 활용할 수 있다.

〈우리 어린이집 월 평가 예시〉

나누리반(만 1세) 10월 월간 보육과정 평가	결재	담당	원장

주		1주 ( )	2주( )
주제		[인내] 수확의 기쁨을 나눠요	
교사의 기대		가을이 되어 선선해진 날씨의 변화를 경험한다. 가을에 볼 수 있는 자연물을 탐색하고 활용해 놀이한다. 바깥에서 하는 놀이를 경험한다. 바깥에서 다양한 방법으로 놀이하며 즐거움을 느껴본다.	
등원 및 맞이하기		선선해진 가을 날씨에 대해 이야기하며 인사해요.	바깥에서 하고 싶은 놀이 이야기하며 인사해요.
기본생활습관		식사 시간에 감사한 마음을 표현해요.	편식하지 않고 골고루 먹어요.
일상생활	점심 및 간식	음식 이름 이야기하며 즐겁게 식사해요.	친구에게 “맛있게 먹어!” 하며 식사 인사해요.
	낮잠	이불에 누워 쭉쭉 스트레칭하고 잠들어요.	재미있었던 바깥놀이 떠올리며 잠들어요.
	배변 활동	스스로 바지 내리기를 시도해요.	배변 후 기분을 말로 표현해 봐요.
나누리반의 놀이 이야기		가을 풍경 사진 위를 점프해요. 블록으로 가을 나들이 길을 만들어요. 가을 풍경 위에 그림 붙이기 동화 ‘가을 소리를 들어요’ 낙엽에 끈을 끼워요. 나뭇가지로 만든 얼굴	낙엽 징검다리를 만들어요. 가을 열매 블록을 쌓으며 놀이해요. 나뭇잎 퍼즐 맞추기 가을에 볼 수 있는 나무가 있어요. 새 노래 ‘다람 다람 다람쥐’ 를 부르며 알밤을 주워요. 바구니에 가을 자연물을 담아요.
바깥놀이		가을바람에 풍선을 날려요.	나뭇잎을 주워서 놀이해요.

대체활동	가을 풍경 사진 징검다리를 건너요.	몸을 흔들어 나뭇잎을 떼어내요.
안전교육	(성폭력 및 아동학대 예방) 좋은 느낌과 나쁜 느낌	(실종·유괴예방·방지) 모르는 사람이 데려가요.
가정과의 연계활동	10월은 날씨가 좋으면 우리 나누리 친구들과 바깥활동을 많이 나가려고 합니다. 우리 아이들이 활동하기 편한 복장으로 등원시켜 주세요.	

활동과 자료는 영유아의 발달과 학습에 적절한 수준이었는가?
하루 일과가 영유아의 신체리듬과 특성 등을 고려하여 적절하게 계획, 실행되었는가?
교수학습방법은 영유아의 흥미와 활동 특성에 적합하였는가?
하루일과(또는 월간)의 활동 종료, 시간 배정은 적절하였는가?
진행된 활동 중 영유아의 참여 정도와 흥미가 높았던 활동은 무엇이었는가?
계획된 활동 중 변경되거나 추가된 활동 및 이유는 기록되었는가?
하루일과(또는 월간)의 보육내용 중 수정, 보완해야 하는 것은 무엇인가?

월간 평가

10월은 가을과 수확(열매)라는 주제로 놀이를 하였다.
1주에는 가을풍경을 보며 이야기를 나누고 가을에 볼 수 있는 것들에 대해 함께 알아 보았다.
2주는 영아들에게 교사가 직접 채집해 온 열매들을 보여주고 직접 찍어온 벼 사진과 논 풍경을 보여주며 우리를 위해 열심히 농사를 지으시는 농부들을 위해 음식을 남기지 말고 먹는 모습을 보이자는 이야기를 하였는데 영아들이 그날은 정말 잔반을 거의 남기지 않고 먹는 모습을 보였다. 교사가 산에서 주워온 열매에서 벌레가 나오자 영아들이 그 모습도 신기해 하였고 우리 어린이집 근처에서 볼 수 있는 열매들은 어떤 것들이 있는지도 산책을 통해 알아보았다.
3주는 가을소풍을 가서 영아들고 밤을 직접 따보고 계절의 변화를 느껴 볼 수 있는 시간을 가졌다. 영아들에게 산책과 함께 안전하게 놀이하는 방법에 대해서 알아보았다. 가을소풍에서 보았던 풍경을 떠올리며 망사텐트에 나뭇잎을 붙이며 가을동산 꾸미기를 했다. 영아들이 교사의 마음과는 달리 다른 놀이에 집중을 해서 텐트를 이용한 수업이 진행이 되지 못해 아쉬웠다.
4주는 인성발표회와 함께 다양한 행사들이 있었다. 달팽이집을 지으며 영아들이 직접 달팽이처럼 몸을 움직여 보기도 하고 미니운동회에서는 다양한 게임을 통해 서로 배려하고 도와주었다. 함께 게임을 풀어가는 방법에 대해 알아보고 협동을 통해 하나가 될 수 있음을 알았다. 할로윈 이벤트는 영아들이 무척 즐거워 한 이벤트였는데 학부모님들까지 함께해 주셔서 기억에 남을 행사가 되었다.
10월 우리 아이들과 함께 변화하는 계절에 맞춰 가을을 알아보고 그 안에서 우리가 얻을 수 있는 열매들에 대해 알아보는 뜻깊은 시간이 되었다.

원장님 평가

가을의 수확을 아이들의 밥상을 통해 느끼도록 할 수 있는 좋은 프로그램이었다.
할로윈이 시작된 역사와 이유를 알아보고, 재미있게 행사했다.

3. 가정과의 의사소통 '알림장'

1)알림장의 역할과 중요성

알림장은 어린이집과 양육자를 잇는 연결고리 역할을 한다.
알림장은 가정과 어린이집, 양육자와 교사의 기본적인 의사소통 수단이다.
알림장은 학부모에게 어린이집의 친밀감이 형성될 수 있도록 한다.
알림장은 교사에게도 학부모와의 신뢰를 형성하는 좋은 도구가 된다.

첫째, 양육자와 어린이집, 신뢰의 첫 단추가 된다.

알림장을 통해 아이의 어린이집 생활이 학부모에게 전달된다. 부모는 알림장을 통해 자녀의 원내 활동이나 교육 현황을 알 수 있다. 교사에게 알림장은 어린이 양육과 관련한 당부나 중요한 메시지를 학부모에게 보내는 도구가 된다. 올바르게 규칙적으로 발송하는 알림장은 교사와 양육자 어린이를 잇는 신뢰의 도구이자 연결고리가 된다.

둘째, 학부모가 자녀의 하루일과를 이해하고 안심할 수 있는 믿음의 시작이 된다.

알림장에는 아이의 등원에서부터 간식, 놀이, 점심, 수면, 배변, 건강에 대한 정보가 담겨있다. 또한 이에 대한 아이의 반응을 기록하여 학부모에게 전달한다. 그럼으로써 학부모는 자녀의 원내 생활에 대한 궁금증을 해소하고, 안심하며 신뢰하게 된다.

셋째, CCTV나 아동학대에 대한 의심의 벽이 허물어진다.

알림장은 매일 자녀의 어린이집 생활에 대해 학부모와 공유하고, 학부모의 궁금증에 대답하는 도구다. 학부모는 알림장을 확인함으로써 아동학대 문제 등을 비롯해 교사를 향한 의문과 불신을 갖지 않게 된다.

넷째, 영유아의 발달과 성장의 중요 단서가 된다.

매일의 알림장 기록과 사진은 영유아의 발달과 성장 과정을 그대로 기록해 주는 일을 한다. 따라서 알림장을 통해 영유아의 자연스런 성장과 변화 과정을 확인할 수 있다.

다섯째, 양육자와 아이를 사이에 둔 공동체 의식과 친밀감이 생긴다.

아이의 성장 과정을 알림장으로 공유하며, 어린이집과 학부모는 아이를 함께 키워나가는 공동체의식과 친밀감을 가진다. 나아가 신뢰를 기반으로 하는 관계 맺기가 이루어진다.

다음은 알림장 간소화 매뉴얼 및 알림장 꼭 들어가야 할 내용들을 소개한다.

⊙ 알림장 간소화 매뉴얼

1. 목적
보육현장에서 피로감을 느끼는 보육서류 중 알림장을 간소화하여 보육교사의 업무 부담 경감하기

2. 간소화 내용
영아의 체온, 식사량, 배변횟수, 수면시간, 투약의뢰, 보고 등 기본적이면서 필수적인 사항은 반드시 포함하되, 특이사항은 최소한으로 작성

3. 원칙
알림장 작성 시 사진은 첨부하지 않는다.(대문 사진 포함 5장을 넘지 않는 범위) - 행사용 사진은 앨범으로 알림장 작성 시 기본적이고 필수적인 사항 작성(체온, 식사량, 배변 횟수, 수면시간) 특이사항은 간단하게 적어준다.
유아반일 경우 매주 한 번 이상 개별 알림장 작성
3~4월은 적응 기간이므로 세밀히 알림장 작성(양육자와 신뢰 쌓기)

4. 기록 키즈노트 사용을 권장하며 알림장은 필요시 문서화 될 수 있음
상반기 3~4월 알림장 예시 참조
상, 하반기 알림장 예시 참조

5. 보존 연한 수시(3년)

⊙ 꼭 알아야 하는 알림장 예시

사랑합니다~ (서두- 인사글)
새벽에 내린 하얀 눈이 오늘 있을 다누리 스케치북의 무대를 밝혀주었어요.(다양한 하루 인사말 활용하기)
형님들과 함께 '창 밖을 보라!' 합창곡으로 첫 무대를 힘차게 시작했어요.
꼬마 요정이 눈을 뿌리고 하얀 눈나라에서 신나게 놀이하는 모습으로 신나게 불러 주었어요.
이어서 깜찍이로 변신한 나누리반 친구들의 무대가 올랐어요. 전주가 울리자 우리 친구들 몸이 반응하며 리듬을 타더니 신나게 깡총이며 율동을 했어요. 그 사이 연습했기 때문인지 균형감 있고 안정감이 있어 보기에도 멋집니다. 대근육 발달이 안정적으로 되었다는 것을 알 수 있는 동작입니다.(놀이 상황 + 발달 상황 추가)
무대를 즐기며 춤추는 친구가 있었고, 평소와 다른 무대와 의상에 조금 긴장되어 실력을 못 보여줘 아쉬운 친구도 있어요. 그래도 우리 **가 부모님을 생각하고 용기내어 무대를 빛내주었다는 점을 알아주셨으면 해요.

다누리 스케치북 영상이 알림장의 공지사항으로 올라가면 따뜻한 사랑의 눈으로 보시고, 우리 **에게 멋지게 잘했다고 칭찬 많이 부탁드려요~
신나게 노래와 율동을 마쳐 배가 고팠는지 점심으로 나온 닭고기파프리카볶음밥을 정말 맛있게 먹었어요.
샐러드에 옥수수 보고는 반기며 두 번 먹었답니다. 잘 먹는 **를 보니 몸에 좋은 음식을 알고 적당량으로 고른 섭취를 관찰할 수 있었어요.(놀이 상황 + 발달 상황 추가)
가정에서도 많은 격려와 칭찬 부탁드립니다. 내일은 머핀케이크 만들기 요리활동이 있습니다.
앞치마를 보내주세요~(다음날 알려 줄 사항 체크)

< 영아 알림장 안내 >

반명:
아동명:
교사명:
(간단히 특이사항 위주로 작성)

OO어린이집은 안전한 보육을 위해
'간편알림장'으로 소통하기를 권장합니다.

"내용은 특이사항 중심으로,
사진은 행사 중심으로,
교사는 아이 중심으로"

알림장 작성 주의사항

1. 알림장도 공식적 문서이므로 위상에 어울리지 않는 표현은 주의한다.
2. 양육자의 관심사를 생각하여 작성하고 명료하게 의미를 전달한다.
3. 다누리 소통왕 참여시 교직원의 의견을 수렴하여 결정하고 민주적 방식으로 상장 수여
4. 다누리 소통왕은 하반기 실시 예정

원내 알림장 **'나는 소통왕이다'** 공모전 소개

2) 알림장 실제 사례 예시

2022년 7월 6일 ○○

사랑합니다~~♡

"○○이 교실 들어와 포도 먹어보자" 하자 손 씻고 맛있게 잘 먹네요. 점심도 샐러드 속의 옥수수콘이랑 사과 포크로 다 먹고 더 달라고 하네요.^^ 밥은 반 정도 먹었어요. ○○이 역시나 미술 가운을 입기 싫어해 나시를 입었어요. 밀가루풀을 보여주며 손가락으로 콕 찍어보자고 하니 주춤하다 손바닥을 부비부비 비비며 신기해 하네요. 보들보들 미끌미끌 손으로 이리저리 휘저으며 시각, 촉각, 후각을 자극하는 촉감놀이를 해 볼 수 있었어요.

○○이는 친구들 놀이하는 모습 멀리서 지켜보다가 조금씩 조금씩 다가가더니 어느새 의자에 앉아 밀가루풀 만지고 있네요.^^ 유희실에서는 미용놀이 세트 꺼내서 구르프를 말아주고 있네요. 재미나게 본 책은 스스로 책장에 정리하는 ○○이입니다.

오늘은 손으로만 밀가루풀을 느껴보았고 내일은 온몸으로 느껴보려고 합니다. 지퍼백에 래시가드, 워터레깅스, 수건을 넣어서 보내주세요. 래시가드가 없으면 밀가루풀 놀이를 할 수 있는 옷을 입혀서 보내주시고 여벌 옷과 수건을 지퍼백에 담아 보내주세요. 놀이가 끝난 후 간단한 샤워와 옷을 한번 헹궈서 지퍼백에 담아 보내겠습니다. 귀가 후 바로 샤워와 세탁하시기 바랍니다.^^

○○○ 엄마 7월 6일 오후 5:28

네네~ 선생님 혹시 ○○이가 단체로 놀거나 할 때 혼자 동떨어져 놀거나 잘못 어울리나요? ㅠㅠ 약간 새로움에 무서움을 잘타고 그래서 그런지 단체사진 보면 항상 하랑이 혼자 동떨어져 있는 느낌이 들어서 걱정이 되서요. ㅠㅠ

집에서는 폴짝폴짝뛰며 놀고 잘 웃고 하는데 원에서는 어떨지 좀 궁금해서요~ 원 생활을 잘 하고 있는지.. 성격도 집에선 활발한데 밖에선 내성적인 거 같아서요.

나누리 교사 7월 6일 오후 5:58

자유놀이 할 때는 자연스럽게 친구들 놀이하는 곳으로 가서 놀이 하는데 어머님 말씀처럼 새로운 놀이를 소개해 줄 때는 처음에는 뒤로 물러나는 모습을 보이기는 합니다. 그러다 보니 사진 속의 ○○이가 동떨어지는 듯한 모습으로 비춰지는 면이 있어요~~

○○이가 순한 편이고 조심스럽고 내성적이라고 생각되기도 하지만 다른 친구들이 놀이하는 모습이나 감정, 행동 등에 관심을 보이고 먼저 다가가기도 합니다. 나누리반 친구들이 지금 시기에 서로 어울리면서 또래와 어울리는 방법을 조금씩 알아가고 있으니 너무 걱정하지 마세요.

○○○ 엄마 7월 6일 오후 6:08

네네 ㅠㅠ 친구들이랑 같이 어울리는 사진도 많이 보긴했는데 단체사진을 보니 갑자기 확 걱정이 되었나봐요. 이렇게 얘기해 주셔서 걱정 덜어 놓을 거 같아요.♡ 감사합니다. 내일 레시가드 챙겨서 보낼 게요. 내일 뵈요. 선생님.^^

나누리반 교사 7월 6일 오후 6:17

네^^ 오늘 ○○이와 편한 밤 보내셔요. 저는 내일 ○○이와 즐거운 시간 또 보내겠습니다.♡

○○○엄마 7월 6일 오후 6:17

네네♡

교사 한○○○ 11월 21일 오전 09:40

우리 ○○ 오늘은 보고 싶었는데... 종이염까지 와서 ○○가 힘들었겠어요. 그래도 우리 ○○ 밥 잘 먹으며 이겨냈으면 좋겠어요. 우리 ○○, ○○ 화이팅! 어머님도 힘내세요~

11/29 ○○ 알림장

사랑합니다~

○○ 등원하며 교실에서 선생님을 만나자 포르르 달려와 안겼어요.ㅎㅎ 올 때 추웠냐고 물으니 안 추웠다고 씩씩하게 말했어요. 손이 차가워 따뜻하게 감싸주니 좋은지 웃고는 손 씻으러 가자고 하네요. 손 씻고 와 고기죽 잘 먹었어요.

놀잇감 그림 위에 끄적이기를 해보았어요. 자동차, 비행기, 기차, 블록, 도형 바구니... 에서 ○○ 맘에 드는 놀잇감 그림을 선택해 크레파스로 끄적여 보았어요. 손가락 넣어 색칠하다 톱상어라며 크레파스를 끼운 손을 보여주었어요.ㅎㅎ 끄적이 하고 아쉬워해서 좋아하는 색테이프 떼어 붙여 꾸며 주었어요. 연두색 노란색 분홍색... 색 이름을 말하며 붙여주었어요. 색테이프로 반지 만들어 보자고 하니 손가락 내밀어 ○○ 손도 꾸며 주었어요.ㅎㅎ

도로를 보다 ○○가 자동차가 지나가는 흉내를 몸으로 표현하니 그 모습이 재미있어 보이는지 다른 친구가 다가와 ○○의 허리를 잡고 기차 흉내를 내네요. "칙칙폭폭 기차가 출발합니다. 소리에 나누리 친구들이 모여들어서 기다란 기차를 만들어 주었어요. 나누리 기차가 출발하여 다누리 일주를 하고 왔어요.

도로 위에 횡단보도 만들어주니 막대인형과 자동차 놀잇감을 가져와 놀이를 하네요. 횡단보도를 인형이 건널 때는 자동차들이 멈춰주고 자동차가 지나갈 때는 우리 인형들이 기다려줍니다. 그동안 했던 교통안전을 놀이에서 자연스럽게 보여주네요.^^

점심으로 깍두기 나오자 빨간 거 보고 안 먹는다고 했다 옆 친구가 안 맵고 맛있다고 하자 ○○도 먹으며 맛있다고 하는데 표정은 그렇지 못하네요. 그래도 오늘은 두 개를 맛보았어요.
얼마 전부터 ○○가 낮잠 자고 일어나서 변기 앞에 서서 쉬~ 하고 있어요. 첫날은 안 한다고 울었는 데 열만 세자고 하니 소변기에 섰어요. 그리고 이젠 낮잠 자고 나면 씩씩하게 변기 앞에 서요. 아직 쉬는 안 했지만 배변에 대한 거부감이 없어졌어요.
변기 앞에 서서 시도하는 모습 많이 칭찬해 주고 있어요. 오늘은 친구 쉬하러 갈 때 따라와 친구 쉬하는 거 보더니 ○○도 한다고 변기에 서서 나온다고 하네요. 물론 쉬는 안 나왔지만 변기에 서서 첨으로 나온다는 표현도 하고 쉬 나오라고 나름 힘을 주며 재밌다고 웃었어요.

○○ 엄마 11월 29일 오후 5:54
감사합니다!!
주말에는 변기에 앉아 응아도 하고 오늘 아침에는 소변기에 서서 쉬도 성공했어요!!
많은 가르침에 항상 감사드립니다~~~!!

2022년 11월 30일 최○○
네^^ 오늘 ○○이와 편한 밤 보내셔요. 저는 내일 ○○이와 즐거운 시간 또 보내겠습니다.♡

2022년 11월 30일 최○○
사랑합니다~~♡
간식으로 나온 귤 껍질을 선생님과 함께 직접 벗겨 보았어요. 시큼 달큼 귤이 맛있는지 잘 먹네요.
오늘은 종이컵 속에 숨어있는 친구들의 얼굴을 찾아보는 놀이를 해보았어요. 겹쳐 있는 종이컵을 하나씩 빼보고 안을 살펴보니 친구의 얼굴이 나오네요^^ 서로서로 친구와 나의 얼굴을 찾기 바쁩니다.
"○○"라고 말하며 보여준 종이컵 안에 정말 ○○가 있네요~~ 친구 얼굴을 찾아보다가도 종이컵으로 컵 쌓기도 하고 ○○이는 망원경도 만들어 봅니다.
지난 18일에 우리 나누리 친구들이 머리에 꽂고 나간 파란색 바람개비 머리핀과 어린이집 입구에 걸려 있는 파란색 바람개비가 무엇을 의미하는 것인지 아시나요? "파란 바람개비, 파란 리본은 세계적으로 통용되는 아동학대방지 상징입니다."
오늘 우리 아이들과 아동학대 예방에 대한 영상을 함께 시청하고 부모님께서 보내주신 사랑의 편 지를 들어보는 시간을 가졌습니다. 부모님의 사랑이 듬뿍 담긴 이야기를 들으며 뒤로 보이는 가족사진을 보고 "엄마야" 하며 함박웃음을 짓습니다.
우리 아이들에게는 부모님께서 보내주시는 사랑이 세상에서 전부인 것 같습니다. 사랑의 편지를 가정으로 다시 보내드리니 부모님의 목소리로 다시 한 번 읽어주시면서 따뜻하고 행복한 저녁 보내시기 바랍니다♡
○○이 점심으로 나온 스프와 돈가스 너무 잘 먹었어요. 깍두기 만들었던 이야기 나누며 깍두기도 두 조각 먹어보았답니다. 집에서 먹어보았는지 물어보자 "엄마가"라고 말해주네요. 엄마랑 같이 먹었다는 이야기이겠지요.

○○○ 엄마 11월 30일 오후 5:14
ㅇㅇ이 깍두기 너무 소중하게 여겨서 이틀 정도 애 먹었어요~ 어디든 들고 다닌다 하고, 냉장고에도 못 넣게 하고.. 하물며 다음날 아침에 눈 뜨자마자 깍두기 찾아서 냉장고에서 꺼내주니 애착인형 마냥 안고 있느라 ㅋㅋ 깍두기 처음엔 엄마 아빠도 못 먹게 했어요ㅋㅋㅋㅋ 최○○만 먹는다고~ 그러더니 정작 ○○이는 한 번 먹었답니다^^ 그 후론 엄마가 열심히 먹고 있습니다~~

11월 30일 수요일 ○○의 알림장
사랑합니다.
오늘은 아동학대 예방의 날을 기념하기 위한 마지막 행사로 부모님들이 정성스럽게 쓴 편지를 아이들에게 읽어주는 행사를 했답니다~
유희실에 모인 참누리반 친구들은 아동학대를 당하고 있을 때 도움을 요청하는 내용이 담긴 동영상 교육을 시청하고 한명 한명 편지를 읽어주는 시간을 가졌어요~ 의자에 앉은 귀여운 우리 ○○이에게 부모님이 써주신 손편지를 천천히 읽어주며 부모님이 우리 ㅇㅇ이를 얼마나 사랑하는지 마음에 닿도록 소중하게 읽어 주었습니다.(그런데...제가 감동해서 눈물이...ㅎㅎㅎ)
부모님 사랑을 받고 ○○이도 손가락으로 하트를 만들어 보내드렸습니다~ 잘 받으세요~♥
'물고기 코이의 세상' 영상을 친구들과 함께 시청하고 부모님과도 함께 볼 수 있도록 올려드렸어요~
친구들과 함께 본 영상이라 엄마, 아빠와 함께 본다면 더 의미가 클 거 같아요.
교실에 들어와서도 여러 가지 모양 구멍에 끈 끼우기를 해보고 친구들과 놀다가 친구들이 갑자기 모형 돈을 바닥에 흩뿌리는 바람에 모형 돈 바다에서 헤엄도 치고 교실위로 날리며 즐거워했답니다.(모형돈을 누가 뿌리기 시작했는지는 모르지만 아이들이 좋아해서 함께 노는데 갑자기 ○○이가 모형 돈을 헤엄치면서 "야호~ 우리 부자다~"라고 큰소리로 말해서 또 한 번 크게 웃었어요 ㅎㅎㅎ)
점심도 맛있게 잘 먹고 유희실에서 자동차 타기와 달리기 놀이를 신나게 하고 오늘도 클래식 음악과 함께 행복하게 낮잠도 잘 잤습니다~^^

12/06 ○○ 알림장
사랑합니다~
첫눈이 왔어요. 새벽을 열며 내리는 하얀 눈을 보며 우리 나누리반 친구들과 눈놀이를 하면 좋겠다는 생각을 했어요. 따뜻한 겨울 외투를 입고 하은이에게 눈을 보았냐고 물으니 환한 미소를 띠네요. ㅇㅇ이 손을 잡고 걸으니 손이 차가웠어요. 하은이 손을 따뜻하게 꼭 잡아주었어요.

나누리반 친구들과 눈 충전제를 가지고 눈으로 할 수 있는 놀이를 해 보았는데 눈을 뿌리고 친구와 하는 눈싸움을 젤 신나게 했어요. 겨울 동요를 들으며 눈 놀이를 하니 밖에서 하는 눈 놀이인 듯 너무 리얼하게 놀이하네요. 눈놀이하는 모습이 눈을 뿌려주는 아기 천사 같았어요. 눈 충전제를 마시멜로처럼 끼워 보고 맛있게 친구랑 나눠 먹으며 눈 놀이 파티를 즐겼어요. 눈놀이 후 빗자루와 쓰레받기를 제공해 주니 정리도 놀이처럼 깔끔하게 해 주는 귀욤이였어요.
아침에 내린 눈에서 친구들과 놀이했으면 하는 아쉬움을 눈 충전제로 대체해 만끽해 보았어요.
○○이 점심으로 나온 고기 잘 먹고 샐러드 속에 있는 배도 잘 먹었어요~

○준성 엄마 12월 1일
선생님 안녕하세요.
어제 ○○이가 선생님께서 편지를 읽어주시다가 눈물을 흘리셔서 자기도 눈물이 났다고 말해 주었어요. 키노에 써주신 것과 똑같아서 놀랐답니다ㅎ 좋은 다양한 프로그램 준비해 주셔서 감사드리고 감기가 조금 낫는 거 같은데 계속 잘 케어하겠습니다.
감사합니다^^

나누리반 교사 11월 30일 오후 5:24
○○이가 깍두기를 직접 만들었던 놀이가 좋았었나 봐요. 그래도 그 경험을 이야기 나누며 어린이집에서도 점심시간에 깍두기 나오면 조금씩 먹어보고 있어요~~ 기특하죠^^
요즘 표현하는 단어도 늘고 있답니다. 점점 성장해가는 ○○이를 항상 격려하고 응원해 주세요♡

참누리반 교사 12월 1일
아!!!!그...○○이 눈이 빨갛게 된 게 저를 보고 그랬었군요ㅎㅎㅎㅎ
역시 감성도 통하는 ○○이는 선생님의 사랑입니다~

○○아빠 12월 1일
항상 감사합니다. 행복한 저녁 보내세요

하은 엄마 12월 06일 오후 6:07
눈 충전제로 눈놀이를 실컷해서 하은이와 친구들이 너무 재미있고 신나했겠어요~^^ 오늘도 감사합니다~

맺는말

4차 산업혁명이 시작된 후 과학적 접근으로 시작하는 교수 매체는 눈에 띄게 늘어났다. 코딩 수업, 인공지능 루카 사용, 미디어 활용 학습, zoom을 통한 자녀, 부모교육 등 다양한 방식들을 사용한다. 세부적으로 살펴보면 아래와 같다.

첫째, 코딩 수업. 만3~5세 유아들에게 매일 일정한 시간에 코딩 수업을 진행한다. 아이들에게 미래 핵심기술인 AI 로봇 체험 기회를 제공하는 동시에 코로나 19 장기화로 중단된 특별활동 대신 지치고 힘든 아이들에게 새로운 재미와 흥미를 선사하기도 한다.
AI 로봇은 아이들의 집중도를 높이고 상, 하, 좌, 우 등의 공간 개념과 말소리를 따라하거나 보조교사 역할을 통해 보육교사의 수업 부담을 다소 줄여 주기도 한다. 다만 부모와 코딩 계약에 있어 중간입소 아동의 경우 계약상 마찰 때문에 어려움이 생기기도 한다.

둘째, 책읽어 주는 로봇 루카. 전 연령이 활용하고 있으며 루카는 아이들에게 책읽는 습관을 만들어 주기 위한 로봇이므로 꼭 책이 아이들 손에 들려 있어야 하며 책을 한장 한장 넘겨주어야 한다. 아이들과 상호교감이 가능한 것이 루카의 특징이다.

셋째, 미디어 활용 학습이다. 정보통신 기술 기반의 새로운 산업시대에 발맞추어 현재 미디어 활용 수업으로 유비쿼터스 수업을 한다. 매일 일상 속 시간을 정해 놓은 후 시간과 공간의 제약 없이 아동의 지식과 정보에 접근 가능한 유비쿼터스 환경 내에서의 온라인 학습 환경을 충분히 이용할 수 있다. '플레이 펜'을 활용하여 영어의 재미와 즐거움을 더해 준다.

넷째, zoom을 통한 자녀, 부모교육이다. 예전에는 생각지도 못했던 교육 형식이다. 오리엔테이션, 부모교육이나 안전교육, 학부모 상담, 각종 교육 자료 등을 실시간 zoom을 활용하여 실시하고 이에 대한 후기를 받는 형식으로 부모의 의견을 반영한다. 만족도 조사나 설문지를 통해 예상치 못했던 장점을 알 수 있었다. 코로나 등 감염 우려도 적고, 시간과 공간에 대한 부담도 줄고 격식을 갖추지 않아도 된다는 장점을 이야기하였다.

오늘날 첨단 교육공학 매체가 급속도로 발전하고 확산되었다. 실생활 문제 해결을 위해 통합적 지식을 생산하고 이용하는 일이 일상사다. 많은 지식을 단순히 기억하고 활용하는 수준을 넘어 창의적 문제해결이나 협력적 사고력을 더 중요하게 인식하게 되었다.
그러므로 미래 교육은 가르침 중심에서 배움 중심으로, 교수자 주도 수업에서 학습자 주도 수업으로, 전통적 강의, 집단 중심 수업에서 인터넷과 ict 기반 탐구, 개인중심 수업으로, 단편적 지식, 정보기억 중심 수업에서 고부가 가치를 창출하는 융합, 창의 중심 수업이 되어야 한다.

개별학습보다는 네트워크를 통한 협력학습 중심 수업으로 변화해야 하는 것은 분명하다.
그러나 어린이집에서는 기본에 충실해야 한다. 인공지능이 대신하거나 가르쳐 줄 수 없는 역량인 관계 맺기, 의사소통, 인성, 창의성, 감성, 공동체성을 교사의 삶과 인격을 통해 가르쳐야하는 것이 원칙이다. 육아의 목적은 사회적 상호 작용, 직접 교육, 신체 감독, 그리고 아이들을 먹이고, 놀아주는 것과 같은 직접적인 관리의 제공이란 점이 무엇보다 중요하다.
어린이집과 가정이 아이들을 위해 노력하지 않는다면 아이들은 TV 앞에서 떠나지 못할 것이다. 활동이 없으며 발달의 상태가 더디게 될 것이다. 코로나 피해 경험을 겪으면서 교육의 방향도 바뀌어야 함을 느끼며, 우리 어린이집에서는 우선 교직원과의 꾸준한 회의를 통해 교육활동의 방향성을 제시할 수 있도록 하고 있다.

◈ 소신과 결론

최근 어린이집 사건사고가 많다. 특히 안전사고와 아동학대 관련된 사고가 많이 발생해 학부모들이 매우 불안해 하고 노심초사하기도 한다. 원장은 체계적 방법을 수립하여 학부모 불만 사항 및 애로사항을 주기적으로 파악하여 관리해야 한다. 스마트폰 앱을 활용한 익명게시판 운영 및 설문조사를 통해 언제나 학부모의 궁금증이나 질문에 답변할 수 있도록 해야 한다.
부모 같은 어린이집 원장으로서 직장생활에 바쁜 부모가 안심하고 일할 수 있도록 부모 대신 아이들을 돌볼 것이다. 아이들이 활짝 웃으며 항상 밝은 아이로 자랄 수 있도록 노력해야 한다. 또한 관리동 지역의 특징을 살려, 지역 주민과 함께 만들어 가는 어린이집이 될 수 있도록 지역 주민과 꾸준한 소통이 필수적이다.
손녀 손자가 없는 어르신들에게는 손녀와 손자가 될 수 있고, 할아버지와 할머니가 없는 아이들에게 할머니와 할아버지가 되어 줄 수 있는 상호 협력적인 지역 어린이집의 특성을 100% 살릴 수 있도록 헌신하고 봉사할 것이다.
어린이집의 경우 아이들이 생활하는 공간이고 주민을 위한 공간이기도 하다. 시설이 낡거나 노후되기도 한다. 노후시설 교체 계획을 사전에 수립하여 예산의 비축과 적립을 통한 계획을 수립해야 한다. 아이들 안전에 취약한 부분들을 찾아 주기적으로 안전대책 및 대비책도 세워야 한다.
예산을 최대한 절감하고, 교재교구에 예산을 투입해 질 높은 교육 및 보육을 추진할 수 있도록 해야 한다. 보육교사는 종일 쉬는 시간 없어 스트레스도 많이 받고 성격이 예민해진다. 예산이 허용하는 한도 내에서 대체인력을 확용하여 쉬는 시간을 마련해 주어야 한다.
모든 관계에는 추억을 입혀야 한다. 오늘도 눈 뜨면 그냥 어린이집에 나가야 되어서가 아니라 아이들과 교사가, 교사와 원장이 추억을 입히려 하루하루 출근하자. 그렇다면 또 하나의 히스토리가 만들어질 것이다. 그러면 자신의 삶이 더이상 평면이 아닌 입체적 삶의 시작이 될 것이다.

지은이 **강원화**

총신대학교 대학원(유아교육학)을 졸업했다.
구립 별초롱어린이집 교사로 출발해 구립 별마로어린이집 원감을 거쳐, 현재 도화다누리어린이집 원장이다. 교사교육을 위한 좋은 자료를 모으고, 다양한 방법으로 원에 적용하여 체계를 마련하는 일에 진심이다. 좋은 어린이집은 교사가 만들고, 체계적인 교사교육으로 수준높은 교사가 양성될 수 있다고 믿기 때문이다. 궁극적으로 원장과 교사, 학부모가 좋은 보육으로 이어지는 어린이집을 꿈꾼다.